*Rich*致富210

世界的人民幣

孫兆東◎著

致富館 210

世界的人民幣

作　　者：孫兆東
編　　輯：李國祥
出 版 者：英屬維京群島商高寶國際有限公司台灣分公司
Global Group Holdings, Ltd.
地　　址：台北市內湖區洲子街88號3樓
網　　址：gobooks.com.tw
電　　話：(02) 27992788
E-mail：readers@gobooks.com.tw（讀者服務部）
pr@gobooks.com.tw（公關諮詢部）
電　　傳：出版部（02）27990909　　行銷部（02）27993088
郵政劃撥：19394552
戶　　名：英屬維京群島商高寶國際有限公司台灣分公司
發　　行：希代多媒體書版股份有限公司/Printed in Taiwan
初版日期：2010 年6月

本書由中國財政經濟出版社授權出版

國家圖書館出版品預行編目資料

世界的人民幣/孫兆東著. -- 初版. -- 臺北市：高寶國際, 希代多媒體發行, 2010.6
面；公分 --（致富館；210）

ISBN 978-986-185-479-3（平裝）

1. 人民幣

561.52　　99009922

目　次

序　關注人民幣就是關注你的未來

在如今這個幾乎人人都能大聊特聊「經濟」的時代，人民幣理所當然地是個社會目光焦點。中國的富豪們關注人民幣，因為他們要時時提防著自己的資產縮水；中產階級關注人民幣，因為每一輪金融危機都會讓一大批中產階級變為小康階層；小康之家關注人民幣，因為他們每天都在思考如何讓錢生錢，盡快成為中產階層；沒多少錢的「窮人」關注人民幣，因為他們不但要解決眼下的溫飽問題，更夢想著有朝一日也能夠感受一下當個有錢人的滋味……。

聰明的外國人也來關注人民幣了，因為他們明白一個道理：貨幣貨幣，是先有貨後有幣，貨幣值錢的前提是這個國家的貨多。自從 2001 年中國加入世界貿易組織（WTO）後，短短的 7 年，中國的 GDP 就從全球第六躍升到第三，中國的經濟發展速度全球最快，中國的貨相對於幣最多，因此，人民幣一路升值。當下，世界需要人民幣，金融危機後，發達國家也好，發展中國家也罷，都希望人民幣能進入國際貨幣體系，並期望其能發揮更大作用，尤其是希望它對全球經濟的復甦發揮扛鼎之力。

似乎是在這樣的背景下「人民幣國際化」問題才從理論研究層面上升到實踐領域，但其實，人民幣倍受矚目，還是緣自其內在的品質。

有實力才更有魅力

從以鐵犁耕種的農民生產活動，到以坐在電腦前的白領為特色的現代職業；從伽利略手工製造的兩英寸望遠鏡尚不能清晰辨認土星的光環，到半徑 10 公尺的成對的凱克天文望遠鏡能夠觀察到距地球 120 億光年的太空；從騎馬傳遞書信到以光速傳播訊息……從古至今，人類社會發生了翻天覆地的變化。

但是不管朝代如何更迭，經濟體制如何變遷，亙古不變的是，人們要在社會上生存就必須有「錢」。中國自古有俗語：「巧婦難為無米之炊。」無錢買米，哪怕是最能幹的人生存都會成為問題。而有錢，意味著能夠購買到生活必需品，養家餬口的柴米油鹽醬醋茶樣樣都離不開錢；有錢，意味著能夠得到更好的受教育的機會，從而提升社會地位，所謂「學而優則仕」，要先有錢學習，才能為社會做貢獻；有錢，還意味著能夠在一定的經濟基礎上實現夢想，脫離了為最基本的生活保障奔波勞碌的生活狀態，才能追求理想的生活境界……。

關於金錢的重要，中國自古有個很形象的註釋：「有錢能使鬼推磨。」而如今，金錢的威力更是比歷史上任何時候都來得強大。不信的話，你看看大多數普通家庭裡，貢獻多的一方腰桿總是挺得更直，而賺錢多少當然是貢獻大小最直接的衡量標準。你再看看這個世界，哪些國家最有發言權？哪些國家說話最大聲？而又有哪些國家始終處於弱勢地位？難怪美國前國務卿季辛吉先生總結出這麼一句話：「控制了石油，你就控制了所有國家；控制了糧食，你就控制了所有的人；控制了貨幣，你就控制了整個世界。」

金錢的威力如此巨大，但是，令人費解的是，主體國家控制世界經濟——也就是金錢——的能力卻被大大削弱。這是什麼原因造成的呢？這個原因可以用五個字來概括：經濟全球化。在這樣的大背景下，紙幣印製廠印刷出的 100 元鈔票，很可能飛到世界的任何一個角落，也有可能在世界 200 多個國家裡都曾經飄過它的身影。由於流通的領域與速度難以預測，沒有哪一個國家能夠真正控制住所有金錢的來龍去脈，因此世界的經濟形勢變得越來越紛繁複雜。

我們知道，世界上有 200 多種貨幣，每個國家都有自己國家的錢。那麼為什麼有些國家的錢能夠全世界流通，而有些國家的錢卻只在小範圍內流通呢？那些能夠飄過五大洲四大洋的鈔票難道和其他鈔票差距就這麼大嗎？鈔票與鈔票之間難道也有階級之分？

歸根結柢，錢的後面是實力，有實力的國家世界上對於它的貨幣需求自然就大，而它的貨幣自然成為國際公認的流通貨幣，於是這個國家製造出來的一張張紙幣也變得「雄糾糾 氣昂昂」，其他貨幣則不得不俯首稱臣。真是應了一句話：「有實力才會有魅力，有魅力才更有號召力！」

從緊盯美元到美元依賴

眼下，世界經濟實力排名第一的國家非美國莫屬，其國內生產毛額（GDP）超過人民幣 97 兆元。依靠著國家實力這座大山，美國發行的美元可說是有恃無恐。時至 2008 年年底，美國發行的美元折合人民幣約 56 兆元，同時其他國家購買了美國發行的國債折合人民幣約 15 兆元。全球外匯存底折合人民幣約 45 兆元，所有外匯存底中美元最多，折合人民幣約 29 兆元，占

64.9%，因此美元成為全球第一貨幣。在世界範圍內，美元也是最好用的錢。

美元很美，它是發達國家和富人們的寵兒。當今世界，在國際貿易結算中，美元所占比重超過 60%；在外匯交易貨幣中，美元占比超過 40%。整體看來，儘管美國爆發了嚴重的金融危機，但美元仍然是最被廣泛接受的國際化貨幣。

美國很聰明，知道機會只留給有準備的人。當世界經濟邁向全球化、金融邁向一體化時，貨幣的世界屬性便被凸顯出來。經濟和技術高度發達的美國，率先認識到世界貨幣的重要性，因此，美國在發展經濟實力和科學技術的同時，著重發展了其貨幣即美元。短短的幾 10 年，美元擺脫了金本位（Gold standard）和金匯兌本位（Gold exchange standard），以美元本位統領了全球經濟，成為世界貨幣體系的主導者。

現在讓我們轉到正題。讀者一定會問，既然美元現在這麼強勢，我為什麼要關注人民幣？它能不能實現國際化和我有什麼關係？以筆者從事多年經濟工作的經驗來看，你現在也許還可以對它不聞不問，但總有一天它會成為你必須關心的問題，因為人民幣再也不是那個蹣跚學步的孩子，如今它已長成器宇軒昂、引人注目的青年，正充滿信心地準備去進行自己的全球探索……。

讓我們先來了解一下這位青年目前的體能狀態。

人民幣，是一個擁有地球上五分之一人口的國家正在使用的錢。2009 年這個國家的 GDP 達到了 34 兆元，在世界上排名第三。這個國家發行了約人民幣 56 兆元，同時又用約 14 兆元購買了其他國家的錢，用於交換以及為不時之需做準備。

如果沒有百年一遇的國際金融危機的話，美元眼裡的人民幣還是一個不起眼的孩子。的確，與 1792 年誕生的美元相比，1948 年才出生的人民幣顯得有些稚嫩，但是，新中國成立 60 年來取得了令世界矚目的發展，特別是改革開放 30 年來，中國的經濟以平均兩位數的速度增長，中國也由一個「一窮二白」的國家發展成為經濟總量全球排名第三的國家，中國人使用的錢——人民幣也必然地贏得了全球主要國家和經濟體的關注。時下，人民幣的交易結算越來越多，尤其是全球遭遇百年不遇的金融危機後，更多的人把目光投向了人民幣這個發展速度最快國家的貨幣、這個長期以來不貶值的貨幣。國際金融危機之時，正是中國實現資本積累之際。如今，中國的金融資本不僅可以在危機中解救中國經濟，甚至具備了可以援救美國經濟的實力。於是，世界貨幣體系即將迎來一個新生力量——人民幣。

人民幣國際化正當其時

2008 年 12 月到 2009 年 3 月，中國人民銀行先後與韓國、中國香港、馬來西亞、白俄羅斯、印尼和阿根廷等六個國家和地區簽署了總額人民幣 6,500 億元的貨幣互換協議。2009 年 4 月，中國政府決定在上海市和廣東省內四城市開展「跨境貿易人民幣結算試點」；在滙豐銀行和東亞銀行相繼在香港發行人民幣債券後，2009 年 7 月 2 日，中國人民銀行等六部門公布了「跨境貿易人民幣結算試點管理辦法」，為跨境貿易人民幣結算保駕護航。

無論是在全球金融危機和經濟衰退的當頭，還是在下一輪經濟週期之中，中國如果要想在國際經濟金融上發揮更大作用的話，人民幣必須國際化。

然而，雖然中國國內關於人民幣國際化的呼聲在 20 世紀 90 年代已然出現，但直到美國次貸危機全面爆發前，人民幣國際化並未成為中國政府真正考慮的選擇。一般而言，只有已開發國家才有將本幣國際化的強烈動機，而中國仍是一個開發中國家，人均 GDP 水準和人均資源擁有量都相當低，且中國政府長期以來又奉行韜光養晦的對外策略，因此缺乏推動本幣國際化的強烈意願。

自 2008 年 9 月美國次貸危機演變為全球金融危機之後，中國政府對人民幣國際化的態度明顯由冷轉熱。越來越多的國家和政府不得不承認這樣一個事實：人民幣已經提升到國際化的程度了。經濟的健康、穩定發展確保了人民幣的升值，頗具價值的人民幣正在大步邁向國際化。

不難預測，中國政府將在未來一段時間內繼續加速推動人民幣國際化。一方面，中國將與更多的國家和地區，尤其是與泰國、菲律賓、越南等東協國家以及台灣、俄羅斯等重要貿易夥伴實現雙邊本幣互換；另一方面，中國將批准更多的城市，尤其是與東協各國聯繫緊密的昆明、南寧以及中國重點發展的金融中心城市成為人民幣跨境貿易結算的試點城市。

在當前條件下，人民幣國際化的最大障礙在於中國資本市場發展尚不成熟，這就限制了中國政府在短期內全面開放資本帳戶（資本項目）與人民幣自由兌換的可能性。對中國而言，資本帳戶管制是防範金融危機爆發的最後一道防線。在中國的金融市場、金融機構、投資者與監管機構基本發展成熟之前，中國不可貿然放開資本管制。這意味著人民幣國際化注定是一項長期、漸進的系統工程。

總而言之，目前中國已經進入改革開放的深水區，「摸著石頭過河」的傳統發展策略也到了需要調整的時候。為了讓經濟發展與貨幣發展同步，我們既要敢於承受陣痛，又要在風險可控之前提下，盡快推動人民幣國際化。

讀者在某一天會發現，人民幣這個仍在茁壯成長的孩子，隨著他在國際貨幣大家庭中越來越具有舉足輕重的影響力，他偶爾調皮的一個小動作，就會影響到我們工作、生活的各方面；他不經意間打個噴嚏，或許全球都會得一場不小的感冒。他終將變得讓世界各地的人們都為他歡喜為他憂。

本書從發達國家貨幣的國際化歷史出發，探討人民幣國際化的目的、作用和意義及其對中國經濟的影響，並以國際主導貨幣國家本幣國際化的過程、經驗和啟示，探索人民幣國際化的過程和未來走向，揭示人民幣國際化過程對全球、國家、企業和個人的影響，從中獲得一些關於做好人民幣國際化的準備和風險防範的提示。

本書還對國際貨幣體系未來 100 年的發展進行了展望，提出了同一個世界同一個貨幣的願景。

希望本書能對中國人民幣國際化的推進及中國和世界的金融科學發展，以及幫助企業和個人在人民幣國際化過程中實現利益最大化，盡綿薄之力。

1

發達國家貨幣的國際化

被譽為「歐元之父」的美國經濟學家羅伯特・蒙代爾（Robert Mundell）曾說過：「在國際貨幣體系的歷史演進中，總有一些關鍵因素在預示著體系的發展變化方向，而這在演進過程中往往是不清晰的，被人忽視的。」例如，美元替代英鎊的趨勢在 19 世紀末就已經出現，但事實上的替代卻延至第二次世界大戰後；貨幣的黃金基礎不足以支援世界經濟的增長，這個問題在 20 世紀 20 年代已經顯現，但直至 20 世紀 70 年代的牙買加會議才確定黃金非貨幣化。

什麼是貨幣的國際化

貨幣國際化，是某一貨幣被該貨幣發行國之外的國家接受並做為交換媒介、記帳單位和價值貯藏手段。有人更形象地比喻貨幣國際化就像「開立字據」，只不過要想讓其他國家都對這張「字據」趨之若鶩並不容易，歷史證明，這需要依賴強大的政治、經濟和軍事建立起來的「國家信用」才能做到。

自 20 世紀 60 年代以來，隨著日圓國際化及歐洲貨幣一體化的成功推進、歐元做為國際貨幣的出現，貨幣國際化引起了越來越多人的興趣。

貨幣國際化的含義

蒙代爾認為，「當貨幣流通範圍超出法定的流通區域，或者是該貨幣的分數或倍數被其他地區模仿時，該貨幣就國際化了。」

也有學者認為，如果沒有國際交換媒介，不同貨幣區之間的貿易只能以不同國家的貨幣執行。如果交易商有許多需要不同貨幣的交易，他就不得不持有大量的各種現金，攜帶成本很大。而私人交易者會以最適當的主要貨幣來從事交易，以節約攜帶成本，並將由於匯率浮動而產生的訊息不確定性降至最低。

蒙代爾認為，一國貨幣要成為國際貨幣，取決於人們對該貨幣穩定的信心，而這又取決於以下因素：貨幣流通或交易區域的規模，貨幣政策的穩定，沒有管制，貨幣發行國的強大和持久貨幣本身的還原價值。他認為貨幣做為公共物品，具有內在規模、範圍經濟，市場的廣度、深度是衡量一種貨幣利用規模經濟和範圍經濟的程度，流通區域越大，貨幣對付衝擊的能力越強。

貨幣國際化的影響

關於貨幣國際化對經濟政策的影響，經濟學家很早就做過分析。以美元為例，在「布列頓森林體系」(Bretton Woods System) 決議下美元承擔著兩個責任，即保證美元按官價兌換黃金、維持各國對美元的信心和提供清償能力，但這二者之間是相互矛盾的，即所謂的「特里芬難題」(Triffin Dilemma)。經濟學家們認為，以美元做為世界關鍵貨幣不僅面臨「特里芬難題」，而且美元的國際作用減少了美國執行獨立貨幣政策以及運用貨幣貶值政策的能力。在透過討價還價的機制把價格引入貨幣搜尋模型、分析貨幣購買力問題之後，他們發現，國際貨幣在國內比國外有更大的購買力，並且它比非國際貨幣在國外有更大的購買力。

對於貨幣國際化的福利效應，經濟學家們認為國際貨幣發行國可通過發行本國貨幣為國際赤字融資。隨著一種貨幣國際運用的擴張，貸款、投資、商品和服務的購買都將透過該貨幣發行國的金融機構進行，金融部門的收益會增加。同時發行國際貨幣的國家能夠獲得國際鑄幣稅收入，但鑄幣稅收入的大小受多種因素的影響。發行國際貨幣的國家所獲得的國際鑄幣稅的規模依賴於該貨幣的國際壟斷地位。如果該國際貨幣處於完全壟斷地位，則該貨幣發行國的淨鑄幣稅收益肯定相當大；但如果該貨幣面臨其他國際可接受的貨幣工具的競爭，則該貨幣發行國的淨鑄幣稅收益會相應減少。如，經濟學家曾對 1965 ～ 1969 年間英鎊的淨鑄幣稅收益進行了經驗測試，發現英國從英鎊的國際使用中獲得的淨鑄幣稅收益為「零」。

而貨幣國際運用的成本主要體現在：在固定匯率制下，外國人偏好的轉移可能會導致大量的資本流動，破壞貨幣當局控制基礎貨幣的能力並影響國內經濟活動；在浮動匯率制下，這種轉移導致匯率的大幅度變動，可能會限制貨幣當局的國內政策能力。如把日本看作本國，把東亞看作外國，當日圓的國際運用擴張時，如果有高比例的日本企業選擇「PCP 定價」(Producer Currency Pricing,生產者貨幣定價)和高比例的東亞企業選擇「LCP 定價」(Local Currency Pricing,當地貨幣定價),日本的貨幣擴張對東亞經濟將產生正的影響(以經濟福利衡量),而東亞的貨幣擴張對日本幾乎沒有影響。因此,如果以日圓做為計價貨幣的運用範圍擴大,日本貨幣政策的外部影響將會更大,所以當日本實行它的貨幣政策時,可能會被要求把東亞考慮在內。

貨幣國際化的原動力

從眾多研究文獻中,我們發現了一些貨幣國際化的原動力。一是,貨幣國際化是市場選擇的結果,而市場選擇的條件包括政治上的強大和穩定、經濟規模、國際貿易投資的市場占比、金融市場的發達程度、貨幣價值的穩定和產品的差異度等。二是,貨幣在國際上的地位與該貨幣發行國的綜合競爭力密切相關,而貨幣國際化既會給該國帶來收益也會有成本。貨幣的國際地位越高,貨幣國際化將會獲得更多的收益而承擔較小的成本;貨幣的國際地位低,貨幣國際化的成本可能會高於收益。三是,貨幣成為國際貨幣後會面臨其他國際貨幣的競爭,而要保持其競爭力、鞏固甚至提高其在國際市場上的地位，也受許多條件的制約，需要付出更多的努力。

英鎊：依靠工業革命和殖民地起家

從 1689 年開始，英、法兩國為爭奪政治經濟優勢地位和殖民地，進行了幾乎長達一世紀的爭鬥，直到 1763 年英國取得勝利而告終。

其實在 1689 年時，相比英國，法國顯得更為強大，因為法國擁有四倍於英國的人口和更為強大的軍隊，還擁有豐富的自然資源、優良的港口和海軍基地，更為重要的是法國的工業生產在持續增長，而英國的增長速度卻減緩了。所以，從 1689 年開始，英國面臨著一個可怕的強敵——法國。

但英國卻最終取得了這場號稱「第二次百年戰爭」的勝利。勝利的重要基礎是工業革命在英國的成功，而始於 17 世紀 90 年代的英國「金融革命」則是取得勝利的一個決定性因素。

18 世紀是英國工業革命凱歌高奏、狂飆突進的時代。隨著工業革命的率先完成，英國生產力迅速提高，產品極其豐富。當國內市場無法銷售過剩的產品時，英國的資產階級開始用商品和大炮尋找和開拓國外市場，在全球建立起「日不落帝國」的殖民地，從而逐步形成了統一的世界市場。

在那個時代，「日不落帝國」國勢強盛，傲視全球。當時的一位作家描述了全球市場對英國產品的需求：「在美洲的原始森林裡，伯明罕的斧子砍倒了古老的樹木；在澳大利亞放牛的牧場上，迴響著伯明罕的鈴鐺聲音；在東印度和西印度，人們用伯明罕的鋤頭照料甘蔗田。」

英國的世界金融大國地位也在工業化崛起中逐漸鞏固。1695 年，英國皇家交易所就開始買賣公債以及東印度公司和英格蘭銀行的股票。隨後，之前最強大的國家荷蘭的金融中心——阿姆斯特丹資本市場的各種交易方法都在倫敦再現。到 18 世紀後半期，倫敦的資本市場開始超越阿姆斯特丹，確立了自己在國際金融上的支配地位。倫敦金融市場的繁榮，擴大和深化了政府債務市場，英國政府發行的債券越來越受外國投資者歡迎，其融資成本也大大降低。與法國相比，英國可以較低的利息籌集到更多的資金，1752 ～ 1832 年期間，法國政府支付的公債利息基本上都是英國政府公債利息的兩倍以上。較低的利息負擔使得英國可以籌到更多的錢用於建設龐大的海軍和推動國力的發展。

隨著大英帝國經濟的不斷發展、殖民地不斷增多、國際貿易的規模不斷擴大，世界市場上不同國家之間以物易物的不便，呼喚著統一的交換媒介——統一貨幣的出現。於是，黃金以其天然的優勢和其內在的價值被不同國家的人們所接受，並在全世界流通。

1816 年，英國制定「金本位制度法案」，在世界上首先實行了金本位制。但英鎊其實從 1717 年就已與黃金掛鉤，因為那年英國將黃金價格定為每盎司黃金等於 3 英鎊 17 先令 10.5 便士。

1821 年，英國首先以法律的形式在確立了金本位制。此時的英國通過鉅額的貿易順差積累了大量的黃金儲備，國內生產力迅速發展，倫敦也成為當時世界的貿易和金融中心。英格蘭銀行透過當時廣為流行的以英鎊計價的票據貼現，控制著國際匯兌，在實質面上操縱和領導著國際金本位。

透過英國在海外的擴張，英鎊在英國國內、英國殖民地及全球其他地區大量流通，成為當時唯一與黃金擁有同等地位的兌現紙幣。國際金本位下的自由兌換、自由輸出輸入都與英鎊有著緊密聯繫。在實際的貨幣流通中，英鎊在國際範圍內成為黃金的替代物，國際金本位演變為「黃金與英鎊」雙本位，英鎊成為真正的紙質黃金。英鎊是歷史上最早達成國際化、國際化程度也最高的信用紙幣，它具有的一個突出特點就是，在其國際化鼎盛階段，它可以與黃金完全實現自由兌換而不受任何的限制，這一點是以後各種國際貨幣所未能達到的，因此也只有英鎊才可以被稱為是真正意義上的紙質黃金。

國際金本位制度的建立，確立了英國世界金融霸主的地位，英國支配了世界金融體系，直到該體系在1914年崩潰為止。該體系為英國在世界各地的經濟擴張提供了非常便利的條件，英國開始賺取大量無形信用收益，包括商業傭金、海外匯款和來自投資等方面的收益。1914年，英國境外投資總值居各國之首，約占西方國家對外投資總值的41.8%，英國從海外投資中獲得了高額利潤。

在這個過程中，在英國「金融革命」中成立的英格蘭銀行對英國的崛起發揮了重要的作用。它的重要作用不僅在於其早期政府債務業務，幫助英國在整個18世紀的戰爭中一次又一次地打敗了法國，還在於它是現代中央銀行的鼻祖，為英國崛起過程中金融和經濟的穩定做出了重要貢獻。1844年的「英格蘭銀行條例」賦予了英格蘭銀行基本壟斷貨幣發行的權利，是其成為中央銀行的決定性一步。1872年，英格蘭銀行開始對其他銀行負起在困難時提供資金支持即「最後貸款人」的責任，確立「銀行的銀行」之地位。由此，英格蘭銀行轉變為「發行的銀行、銀行的銀行、政府的銀行」，成為世界上第一個真正意義上的中央銀行，對世界其他國家中央銀行制度的建立產生了重大影響。

憑藉一個高效率的公共信用和貨幣體系、一個具有相當規模的金融市場、一個旨在穩定匯率的金本位制度，再加上英國是世界政治經濟大國，英鎊逐漸成為全世界普遍接受的國際貨幣，倫敦成為國際金融中心。

英鎊的國際化與國際貿易有著緊密聯繫，國際貿易是英鎊走出國門的主要原因和推動力，同時也是英鎊進一步在世界流通、不斷提高國際化程度的一種重要媒介。同時，在那個國際經濟政治秩序還不健全的時代，透過武力開拓勢力範圍，在其殖民地和附屬國推行英鎊的流通，強迫殖民地使用宗主國的貨幣，也成為當時英鎊國際化的一種途徑，所以說，英鎊的國際化帶有武力色彩，這也是其國際化的一大特點。

然而，就在這個不可一世的帝國看似如日中天的時候，太陽已經在悄悄地傾斜。但是英國人覺察得太慢了，當他們從帝國的迷夢中醒來的時候，這個世界已經發生了巨大的變化。他們的競爭對手已經迅速地掌握了新的遊戲規則，對大英帝國形成了咄咄逼人的挑戰，「日不落帝國」的優勢正在迅速消失，大國競技場上的新一輪洗牌開始了。

在英國之後完成工業革命的德國、美國，利用後發優勢，正在迎頭趕上。在 1873 ～ 1896 年的歐洲經濟大蕭條中，英鎊的地位就已經開始慢慢地動搖，到 1914 年第一次世界大戰爆發，金本位制被迫中斷。戰後，為了緩解浮動匯率風險，規範國際經貿秩序，國際社會商定恢復金本位制。英國於 1925 年恢復了金本位制，但由於黃金的不足，戰後恢復的金本位制已是一種變形的金本位制，即金塊本位制。在恢復金本位制的過程中，對英鎊的高估導致英國的國際收支困難和黃金大量流失，英國經濟遭受了致命的打擊。到了 1931 年，英格蘭銀行再也無法承諾英鎊與黃金的兌換，宣布放棄金本位，從此，英鎊主宰世界的時代宣告結束。

美元：在與英鎊的角力和戰爭中崛起

美元，崛起於英鎊霸權衰落之際，美元霸權地位的形成與國際貨幣體系的演變密不可分。美國獨立戰爭之後，新成立的美利堅合眾國開始發行紙幣「大陸票」。

1781年12月31日，「大陸票」被銀行券取代。1785年美國國會決定用「元」（dollar）做為美國的貨幣單位，實行主輔幣制度，1美元為100美分。至此，美元誕生。

美國原是由13個殖民地組成，建國之初，國內的統一市場還未形成，經濟發展並不迅速。在19世紀中期，美元因內戰的結束和政府的有力推動，促使美國國內的統一市場逐步形成。大約在1870年以後，美國的國民經濟實際收入和生產率就已經超過了西歐，之後歐洲經濟與美國相比差距越來越大，美國的經濟實力遙遙領先全球。1879年，美國政府將貨幣的金銀雙本位制改為金本位制，確定1美元的含金量為1.50466克。在隨後的時間裡，美國的經濟實力迅速增長，為美元的崛起創造了必要的條件。

發展起來的美國國家金融體系，也在國家「硬實力」壯大之際，大步邁進。1791年，美國建立美國第一銀行，這是美國建立中央銀行的第一次探索，但因遭到各州銀行和其他部門的反對，它在1811年因註冊期滿而關閉。1816年，美國建立美國第二銀行，它可被視為美國第二家中央銀行，但由於傑克森總統的反對，而在1836年註冊到期時未獲准展期。其後，在一段相當長的時間內，美國都沒有中央銀行。由於缺乏一個中央銀行，儘管南北戰爭後美國建立了統一的商業銀行體系，但貨幣體系仍相當混亂和脆弱。

貨幣體系的混亂和脆弱，致使美國 19 世紀發生了幾次週期性金融恐慌和危機。到 1907 年，美國發生了一場嚴重的金融危機，更加凸顯了建立中央銀行的必要性。1913 年，有鑑於 1907 年的金融危機，美國成立了有別於歐洲的美國式中央銀行——擁有 12 家地區聯邦儲備銀行的美國聯邦準備理事會（FED；簡稱聯準會），希望其提供一個更加安全、更加富有彈性以及更加穩定的貨幣與金融系統，以有效管理金融危機。美國聯準會的成立，是中央銀行制度史上劃時代的創舉，它是集中管理和分散經營、效率與公平相互平衡的成功範例。

中央銀行的設立，對美國經濟來說如虎添翼。

20 世紀 20 年代初期，美國的各大城市繁榮發展。美國人參加舞會、購買汽車、收藏私釀烈酒、炒作股票，享受著美利堅合眾國成立以來最鼎盛的繁華時期。

美國花了 50 年時間大致取得了相當於英國近 200 年的經濟發展成果。1860 年，美國工業生產年平均增長速度是英國的三倍。1880 年，美國的工業產值趕上英國，居世界第一。進入 20 世紀，美國提供的產品占世界產品總量的三分之一。美國以其明顯的生產優勢，成為名副其實的世界第一生產大國。第一次世界大戰前夕，英國工業生產總值在世界所占的比重降至 14%，而同期美國所占的比重升至 38%。面對英國的衰敗之勢，美國開始向其霸主地位發起全面挑戰。

1912 年，美國提出「金元外交」政策，即拓展海外利益的政策。美國聲稱在處理國際關係時，「大棒政策」固然必要，但不能做為主要手段。以美元代替槍彈是擴展美國對世界經濟影響力的最有效手段。由於美國的海外投資主要集中在拉丁美洲，「金元外交」實際上是美國「門羅宣言」在 20 世紀的延續與發展。

如果說前面這一切都是為美元的國際化奠基，那麼兩次的世界大戰就成為美國與美元稱霸世界的重要轉折。美國至今仍熱衷於非本土化的戰爭，原因或許可以從這裡找到，因為它是一種轉嫁國內危機、輸出美國影響力的有力方式。

讓我們看看第一次世界大戰，是如何讓美元在與英鎊的角力中，成為冉冉升起的明星。

第一次世界大戰的爆發，使許多國家經濟陷於癱瘓，但是美國卻由於遠離戰場，戰爭中不但沒受多大損失還發了一筆橫財，腰包鼓鼓，儼然成為「暴發戶」。戰後英國和英鎊的國際金融霸主地位已岌岌可危，深諳

「該出手時就出手」這個道理的美國抓住時機，為打擊英鎊，扶植和加強美元的國際地位，決定恢復戰前實行的經典金本位制——金幣本位制。美國這一招確實見效，因為此時在黃金儲備以及確保貨幣穩定性方面，已沒有國家能和美國相較，美國以外的其他國家都只能以武力恢復金幣本位制。

英鎊在第一次世界大戰中元氣大傷，這從當時各國的快速反應可以看出。戰爭爆發後，歐洲官方機構持有的流動性美元資產大幅度增加。同時由於大部分歐洲國家的貨幣價值不穩、存在外匯管制和匯率低估，使得保持以固定價格與黃金兌換的美元更具吸引力，國際經濟趨向以美元計價，私人部門也開始持有更多的美元資產來減少交易風險。20 世紀 30 年代，一批國家疏遠英鎊，聚集在美元周圍，形成美元區，美元從此有了自己的「fans」。

這時的英國並不願意退出歷史舞台。為了繼續保住自己的國際地位，英鎊與美元進行了殊死的搏鬥。經過國內激烈的辯論，英國最後決定從 1926 年 1 月 1 日起恢復金本位制，1 英鎊仍等於 4.8655 美元，英鎊價值明顯高估。英國之所以不願降低英鎊的金平價（gold parity），主要是為了維護倫敦的國際金融中心地位。不過，英國實行的是金塊本位制，而美國實行的是金幣本位制，從穩定性上看，美元顯然勝過英鎊，美元在國際上的信譽也開始超過英鎊，不復往日風光的英鎊已很難與美元抗衡。最終，英國被迫於 1931 年 9 月 21 日宣布放棄金本位制，同時實行匯兌管理，英鎊僅在英鎊區內繼續自由兌換，其國際貨幣地位已逐漸從全球縮小至英鎊區。

第二次世界大戰爆發之後，由於對歐洲穩定性的懷疑，以英鎊計價的國際儲備急劇下降，美元成為國際儲備的趨勢大增，持有者多半看重美元的穩定性，而不是去兌換黃金，美元已成為安全的國際儲備資產。戰爭結束時，美國工業製成品產量占世界一半，對外貿易額占世界的三分之一以上，國外投資總額急劇增長，黃金儲備從 1938 年的 145.1 億美元增至 1945 年的 200.8 億美元，約占資本主義世界黃金儲備的 59%。美國經濟實力超群，已成為世界最大的債權國，從而為美元霸權的建立創造了必要條件。

此時，美國的野心就再也收不住了，想要控制全世界的慾望越來越強烈。20 世紀 40 年代，美國積極策劃建立了一個以美元為中心的國際貨幣體系，以改變當時世界貨幣金融關係的混亂局面。但限於實力，美國離不開英國的配合。1943 年，美、英兩國政府分別提出了「懷特計畫」和「凱恩斯計畫」，經過激烈的討價還價，最後由於美國實力大大超過英國，英國被迫放棄自己的計畫而接受美國的計畫，最後形成布列頓森林體系。美元的國際化於是邁開了最關鍵的第一步。

1944 年，以美元為中心的國際金匯兌體制確立。這表明了掌管世界經濟的霸權從衰落的英國正式轉移給強盛的美國，為美元達到國際化的最高程度在法律和制度上開闢了道路。同時，戰後各地的經濟恢復又為美元國際化創造了更大的空間。即使後來布列頓森林體系崩潰、牙買加體系建立，美元的影響力也並沒有立即消失。直到現在，在因次貸危機而導致的全球金融危機中，美元雖然地位產生了動搖，但仍是世界上最重要的國際貨幣。

如今，美國擁有世界上最為發達和先進的證券市場，擁有世界上規模最大的證券交易所——那斯達克（NASDAQ）和紐約證券交易所（NYSE）。美國還擁有全球規模最大的衍生性金融商品市場，2006 年芝加哥商業交易所（CME）和芝加哥商品交易所（CBOT）合併，成立新的芝加哥商業交易所（CME），其市值超過了紐約證券交易所。

日圓：離不開美元卻又急於突進

日圓國際化的路途可謂是一路坎坷。第二次世界大戰結束時，日本做為戰敗國，經濟已經是處於奄奄一息的狀態，盟軍最高司令部為戰後日本制定的經濟政策所造成的惡性通貨膨脹，幾乎澈底摧毀日本的經濟。

俗話說，絕處逢生。轉機出現於 1948 年 10 月，當時美國國家安全委員會通過了第 13-2 號法案，決定幫助日本加快其經濟復甦的腳步。

實際上，早在 1945 年日本還沒有簽署無條件投降書的時候，在美蘇冷戰迅速激化和社會主義國家陣營迅速擴大的壓力下，美國就計畫要在亞洲建立一個基地，以遏制社會主義陣營的發展。所以在東京大審判過程中，美國就做好了與日本合作的計畫，開始準備扶持戰後的日本，這個計畫在經濟上的直接表現就是著名的「道奇路線」。

1949 年 2 月，當時的美國總統杜魯門請求底特律銀行家約瑟夫 • 道奇擔任麥克阿瑟的經濟財政顧問，並指導對日本的經濟新計畫。2 月 1 日這一天，美國派遣的道奇調查團到達日本。調查團的主要任務就是幫助麥克阿瑟實現「穩定經濟九原則」。名義上，道奇是盟軍總司令官的財政顧問，但實際上，調查團完全按照華盛頓的旨意行事。日本在被占領期間，財政處理權限實際上不在日本國會，而在於可以稱之為超憲法權限的機構——美國占領軍總司令部。

道奇在使不斷下挫的日圓兌美元匯率穩定下來之後，通過布列頓森林體系將日圓的價值與黃金掛鉤，進一步將匯率穩定在 360 日圓兌換 1 美元的水準，這標誌著日本跟隨日圓回到了國際社會。同時，他還幫助日本政府實現了預算平衡。在美國「老大哥」的庇護下，日本於 1951 年和美國締結和平條約；1952 年加入國際貨幣基金組織（IMF）；1 年後，1 美元等於 360 日圓的固定匯率做為國際貨幣基金的官定價格得到追認。

1950 年，朝鮮戰爭爆發，美國對戰爭物資的大量需求啟動了日本經濟，並推動日本從此進入長達 20 年的高速發展時期。旺盛的近代投資熱浪，促進了國內產業結構的調整，生產率大幅度提高，日本的經濟實力不斷得到充實。到 1970 年，日本的經濟水準已經是戰前的 13.7 倍。

在此期間，日本政府對日圓的管制也逐漸放鬆。1964 年 4 月 1 日，日本宣布接受「國際貨幣基金組織協定」第 8 條的承諾，實現了日圓在經常帳戶下的自由兌換。從 1965 年起，日本的貿易收支開始出現順差，並且幅度越來越大。同年長期資本收支中的資本輸出明顯增加，日本成了資本輸出國，日圓的軟貨幣形象開始消失，從此，日圓走上它的強勢貨幣之路。

從 1965 ～ 1970 年，連年的貿易順差使日本積累了鉅額財富，且順差幅度不斷擴大。在這種情況下，日本國內外提出了「日圓匯率是否評價過低」的質疑，圍繞日圓的議論開始活躍，日圓的升值壓力迅速增大。不過在布列頓森林體系下，美元與日圓的匯率直到 1971 年幾乎一直保持在 1 ： 360 的水平，波動幅度為 ±10%。

1971 年 8 月初，尼克森總統宣布美元與黃金停止兌換，布列頓森林體系就此崩潰。一時間，國際社會一片混亂。日本政府經過再三考慮，終於在 8 月 29 日宣布日圓開始實行臨時浮動，日圓走向升值的序幕揭開了。當年日圓對美元就升值了 16.88%，從 1 美元兌換 360 日圓變為 1 美元兌換 308 日圓。

到 1973 年，不斷升值的日圓被認為是「與德國馬克不相上下的硬貨幣」。9 月，第一次石油危機爆發，整個西方世界陷入經濟蕭條，日圓也受到一定的影響，實行了浮動匯率制。到 1978 年 11 月，日本被迫實行「卡特支持美元計畫」，美元兌日圓匯率突破了1：200大關。

從第一次石油危機到20世紀80年代，面對全球性的經濟蕭條和衰退，日本採取了一系列的經濟措施，比如：在企業普遍推廣減少投資、節約開支的「減量經營」方針，貫徹革新技術、降低能源消耗的生產合理化措施；逐一在全國實施調整產業結構、發展高新技術產業、發展第三產業等改革措施。產業結構的及時調整很快收到實效，日本不但未在危機中受到多大的衝擊，而且還利用其他國家陷於危機的這個最佳時機發了一筆「橫財」。隨著日本鉅額順差的不斷積累，美國的國際收支逆差幅度也越來越大，日本終於取代美國逐步成為世界最大的貸款國和債權國。國際社會在對此感到震驚的同時，要求日圓升值的呼聲也越加強烈。

終於，感受到嚴重威脅的美國在1985年召開「廣場會議」，迫使日圓大幅升值。此後，在國際收支鉅額黑字的壓力下，日圓開始了10年的升值歷程。

20世紀80年代初期，日本真正開始推進日圓的國際化。80年代中後期起，隨著升值日圓大量流出日本，日圓的使用範圍逐步擴大，國際化程度大幅度提高。1986年年底，東京離岸金融市場正式創立，日圓的國際化向縱深發展，日圓在國際結算、國際儲備、國際投資與信貸以及國際市場干預方面的作用全面提高。在特別提款權（SDR）的定值籃子中，日圓的權重兩次被提高，達到21%，日圓的地位得到了國際社會的充分肯定。

但是從總體上看，日圓的國際化相對於其他國際貨幣來說，並不理想。因為做為主要貨幣的外匯匯率設定基準功能，美元、法郎和英鎊等都被一些國家和地區做為目標貨幣，但至今並未有一個國家和地區將日圓當作目標的基本貨幣。另一方面，日圓做為國際儲備貨幣資產的狀況更是不佳，1997年以來，日圓在全球儲備資產總額中所占比重始終保持在5%左右，目前總體趨勢還略有下降。

而且在歷史上，日圓兌美元匯率多次出現大幅波動，反映了日圓匯率的確定在很大程度上還存在「美元依賴」，說明日本經濟體系面對經濟金融全球化的趨勢難以採取靈活的對應措施，日圓尚不能自立，日本的經濟金融政策和金融市場也難以自立，不能實現可控制的日圓匯率波動。

的確，日本經濟為日圓國際化付出了沉重的代價。由於日本的國際收支長期處於鉅額赤字狀況，日本的外部經濟亦長期失衡，日圓隨之處於長期升值狀態，給日本經濟帶來巨大的創傷，造成嚴重的「日圓升值綜合症」，症狀是：出口受到打壓、引發資產泡沫、成為國際游資的投機對象等，日圓的真正價值常常迷失在貨幣投機中，只要美國經濟一遇風吹草動，不論日本經濟是繁榮還是蕭條，都會引發國際外匯市場上的日圓升值和美元貶值。

總之，一國貨幣的國際化過程，實際上是一個與完善國內金融體系相輔相成的過程，國內金融體系的健全性和開放度如果不能適應國際貨幣的要求，那麼，推進本幣國際化就只能是一句空話。日本做為一個典型的「貿易國家」，在其他相應條件尚不具備，尤其是在國內金融資本市場開放度十分欠缺的情況下，企圖通過直接的貨幣國際化來挑戰「原有主導貨幣的霸權」，其結果只能是不成功的。

歐元：為區域貨幣做出成功示範

發行歐元是由 1992 年為建立歐洲經濟貨幣同盟（EMU）而在馬斯垂克簽訂的「歐洲聯盟條約」所確定的。條約成員國需要滿足一系列嚴格的標準，例如預算赤字不得超過國內生產毛額的 3%，負債率不超過國內生產毛額的 60%，通貨膨脹率和利率接近歐盟國家的平均水平。

1999 年 1 月 1 日，歐洲統一貨幣歐元正式誕生。在經過 3 年的過渡期之後，2002 年 1 月 1 日起，歐元已正式取代歐盟 12 國各自的貨幣開始流通，12 個歐元國的 3.04 億民眾，告別了他們世世代代使用的法郎、馬克、里拉等貨幣，開始使用共同的貨幣——歐元。

歐元的誕生，得益於美國經濟學家羅伯特 ‧ 蒙代爾在 1961 年提出的觀點。蒙代爾 1932 年出生於加拿大安大略省，在英屬哥倫比亞大學和華盛頓大學接受大學教育，後赴倫敦經濟學院做研究。1956 年蒙代爾 24 歲時就以題為「論國際資金流向」的博士論文一舉成名，榮獲麻省理工學院經濟學博士學位。在 1961 ～ 1963 年間，蒙代爾在國際貨幣基金組織的研究部門工作。

1961 年，蒙代爾在自己的文章裡提出這樣一個問題：「一些國家什麼時候會願意放棄貨幣主權，而去使用一個共同貨幣呢？」按照他的設想，西歐各國經濟水平相近，相互之間要素流動性較高，可以組成一個貨幣區，區域內各成員的貨幣相互之間實行固定匯率，甚至使用同一貨幣。他的這個設想指引歐洲的決策者把歐元從一個紙面上的概念變成今天的現實，因此人們都把羅伯特 ‧ 蒙代爾稱為「歐元之父」。

最優貨幣區域是指匯率應固定的最佳區域。傳統上，人們都認為一個國家使用一種貨幣是天經地義的事，但實際上，根據蒙代爾的研究，在一個由許多國家組成的大的區域內，如果勞動、資本等生產要素在國與國之間是自由流動的，那麼這些國家理論上應當只有一種貨幣，因為要素流動使匯率變動成為多餘，要素在區域內全方位的流動可以在出現影響供求的擾動時，減少改變要素實際價格的壓力，從而減少把改變匯率做為改變要素實際價格的一種工具之要求。

正是基於蒙代爾的這種理念，歐元在歷經風雨後最終問世。歐元的誕生是世界貨幣史的一個里程碑，因為歐元是世界貨幣史上第一個既不依賴黃金又不依賴單一國家的國際區域貨幣。歐元的出現是一種全新的國際經濟、政治現象，為國際貨幣制度安排提供了嶄新的發展空間，同時也推動世界經濟在一體化的同時更深入地向國際區域化發展。

1999 年 10 月 13 日，瑞典皇家學院將該年度的諾貝爾經濟學獎授予了蒙代爾，以表彰他「對不同匯率體制下的貨幣和財政政策以及最優貨幣區域的分析」所做出的偉大貢獻。瑞典皇家學院長達 7 頁的贊詞，更肯定了他「歐元之父」的地位。

歐元，由歐洲中央銀行（European Central Bank，簡稱 ECB）和各歐元區國家的中央銀行組成的歐洲中央銀行系統（European System of Central Banks，簡稱 ESCB）負責管理。總部坐落於德國法蘭克福的歐洲中央銀行有獨立制定貨幣政策的權力。歐元區國家的中央銀行參與歐元紙幣和歐元硬幣的印刷、鑄造與發行，並負責歐元區支付系統的運作。

歐元的使用，不僅簡化了手續、節省了時間、加快了商品與資金流通的速度，而且還減少近 300 億美元的兌換和傭金損失，使歐盟的企業無形中降低了成本，增強了競爭實力。隨著歐元地位的上升和歐洲資本市場的發展，成員國的資金成本也會下降，有利於投資和經濟增長。

歐元對於國際匯率制度甚至是國際貨幣體系的意義在於，它糾正了布列頓森林體系過分強調全球貨幣合作而忽視區域性合作的缺陷，在全世界實行固定匯率制度的條件尚未具備時，以區域性貨幣合作的方式實現了區域內貨幣的統一。

更為重要的是，歐洲貨幣一體化是區域貨幣一體化的成功典範。結成區域貨幣聯盟，穩定區內貨幣匯率，是開發中國家或小國經濟抵禦外部衝擊、加強內部經濟聯繫的基本途徑，也是國際貨幣體系向國際貨幣一體化演進的基礎。

與美元國際化相比，在歐元路線下，不僅成員之間的地位和利益都可以透過談判來進行調節，各方的權利和義務也相對平等，存在維持匯率固定的基礎。而美元國際化是一個單邊行為，是其他國家由於強幣滲透逐步排斥本幣，最後不得不在政策層面上放棄本幣而接受強幣的過程。

貨幣國際化的共通點

總結一下到目前為止的歷史情況，貨幣國際化的路線主要有四條：一是透過戰爭以及建立殖民地的方法，將宗主國的貨幣強加於殖民地，然後再影響到世界各國，即英國路線；二是透過成為國際貨幣制度的中心貨幣演變為國際貨幣，即美元路線；三是透過有策略、有計畫地培養區域內貨幣，然後發展成為國際貨幣，即歐元路線；四是通過貨幣可兌換的若干階段成為國際貨幣，即日圓路線。上面四種貨幣的國際化具體路線雖然呈現出各自的特徵，但在其國際化的全過程中，也存在著一些相同之處，這正是貨幣國際化的共通點。

強大的經濟實力

貨幣的國際化是以強大的經濟體實力為支撐的。處於貨幣國際化過程中的貨幣，與同時期其他國家的貨幣相比都具有不可比擬的經濟優勢。無論是英國還是美國，在其貨幣走出國門、走向世界時，都曾是當時世界經濟的樞紐，它們所積累的經濟實力令當時其他任何一個國家或經濟體相形見絀，所以由它們支撐的貨幣——英鎊和美元——也都能稱霸世界，成為國際貨幣舞台上的核心角色。

「強大的經濟實力」並不是一句空話或者口號，它是一個綜合的指標。對於一國貨幣能否具備國際貨幣的能力，應該主要從兩個方面考察：一是該國是否擁有高效能的、世界一流的經濟總量和經濟規模，經濟在資源合理配置的基礎上是否具有持續健康的發展潛力；二是該國是否擁有充足的國際清償手段（即廣義上的國際儲備）或者強有力的吸引外資之能力。

除了強大的經濟實力，國家還應該在其他實力上處於國際領先地位，例如政治實力以及國際地位、國際聲譽、軍事實力等等。只有在以經濟實力為主、其他實力為輔的條件下，才有可能實現貨幣的國際化，否則單靠經濟實力本身，並不能達成最終目標。

發達的金融市場

當英鎊稱霸世界時，倫敦是世界貿易金融的中心；當美元崛起時，紐約的金融市場便與倫敦平分天下，直至獨占鰲頭；馬克的國際化以法蘭克福、盧森堡的金融市場為依靠；日圓後來居上，稱雄亞洲的東京金融市場功不可沒；在歐元的誕生及成長過程中，歐洲央行的成立、歐洲銀行業的重組，使歐洲的金融體系一體化程度不斷加深，原已發達的金融市場前所未有地向縱深發展。可以說，在貨幣國際化過程中，發達的金融市場是不可或缺的支撐。

我們可以看到，發達的金融市場必須是開放的。只有開放的、不受限制的金融市場，才能使各種交易者和各種資金得以自由出入，為這些交易者（特別是為非居民交易者）提供價值貯藏和投資增值的場所，從而進一步提升了使用該種貨幣的安全性，解決了非居民交易者的後顧之憂，也確保了該種貨幣在經濟交流中能夠充分發揮國際貨幣的職能。

發達的金融市場還應該是高效能的，具有一定的廣度、深度和彈性。廣度是指有大量的、種類繁多的金融工具；深度是指發達的次級市場；彈性是指應付突發事件及大額成交後價格迅速調整的能力，即對供求狀況的突然變動有迅速靈活的調整及恢復能力。在發達的金融市場上，由大量的金融工具帶來多種多樣的投資途徑，使該種貨幣顯示出極大的活力，因而提高了各國的人們持有和使用該種貨幣的意願；金融市場規模大，交易頻繁，就使得該種貨幣的流動性增強、安全性提高、交易成本降低，從而使國際上對該種貨幣的需求增加。

另外，發達的金融市場還應該是有規範的，從而創造出訊息快捷、集中、透明的公平、公正、公開的投資環境。

國際貨幣的盛與衰

正像所有的事物不能永遠處於鼎盛的狀態一樣，在歷史上，任何一種曾經一度支配世界的貨幣也會由強盛走向衰落。曾經是紙質黃金的英鎊和做為黃金符號的美元，都曾擁有一段不可一世的輝煌，然而，它們卻都相繼走出了那段輝煌的歷史。由盛而衰的原因各自不同，有興趣的學者可以從政治學、經濟學、心理學、社會學、人類學、歷史學等各個學科角度來做分析，然而，單從貨幣學的角度來看，貨幣幣值被高估是其中一個重要原因。

這裡我們所說的「幣值高估」是指貨幣的名義價值或是官方價值高於其所含的內在實際價值。在國際上，1976 年以前，幣值高估通常是指一國貨幣當局或是國際協定所規定和商定貨幣的含金量（即貨幣的名義價值）高於貨幣的實際含金量（即實際價值）。在 1976 年以後，各國貨幣不再規定含金量，貨幣的價值則是指貨幣的實際購買力，此時幣值高估則是指貨幣的官方價格或市場上的貨幣名義價格高於貨幣的實際購買力，但貨幣的兌換卻按高於貨幣實際購買力的價格進行，從而提高了貨幣高估國家出口商品的價格，貨幣高估多少，出口商品價格就抬高多少。長期的本幣高估必然降低該國的國際競爭力。

英鎊主宰的金本位和美元主宰的金匯兌本位，實質上都是固定匯率制。英鎊的高估是由於完全按舊平價恢復其價值，而沒有考慮物價已經上漲的因素。戰後物價上漲，意味著英鎊已經貶值，而按原來的平價恢復含金量，對英鎊來說就造成了高估。可以說英鎊的高估，是由於英國希望抑制通貨膨脹、擁有英鎊往日的輝煌、重新樹立英鎊的貨幣霸權，而造成的人為高估。

在 20 世紀 60 年代以前，美國的黃金儲備及國民財富與美元的發行量保持平衡。而在此之後，一方面由於越南戰爭導致了軍費的激增，擴張性的貨幣政策使貨幣發行量大增，美國的財政赤字不斷擴大，由此引起了嚴重的通貨膨脹；另一方面，從 1971 年起，美國國際收支開始出現逆差，而且逆差的幅度不斷擴大。這兩個主要因素造成美元的發行量與其國家的黃金儲備量嚴重不平衡，對應其儲備的黃金，美元的實際含金量下降，而美元與黃金的固定官價要求美元的含金量不變，美元因此被高估。

通常來說，當一種貨幣被高估後，該國的產品在國際上的價格就會上漲，出口必然會受到一定的影響。貨幣高估在提升出口商品價格的同時，也會降低進口商品的價格，如果出口企業生產的原材料源自國際市場，貨幣高估使得國際收支惡化的作用，會在進口原材料價格下降中有所抵消；如果出口企業的原材料不是源自國際市場，或者進口原材料的國際市場價格普遍上漲，該國的國際收支必然惡化。

此外，貨幣高估帶來的進口商品價格普遍下跌的效應，還會增大該國的對外支付。出口下降，進口增加，該國的國際收支會進一步惡化，從而對國內經濟造成一定的壓力。於是，貨幣的由盛轉衰就難以避免了。

總之，綜觀主要已開發國家的貨幣國際化歷史，所能帶給我們的啟示是，一國的貨幣國際化要依靠經濟、軍事和政治實力，實力是堅強的後盾，而發達的金融市場和金融創新，則是實現貨幣國際化不可或缺的重要手段。一個國家的貨幣國際化後，將隨著這個國家參與國際經濟、金融和資本角力，也會承受經濟週期和金融危機的洗禮，大浪淘沙，最終它能否成為國際主導貨幣，還要看它的國家管理者能否以史為鑑，並以獨具大智慧的決策，用貨幣來引領經濟。

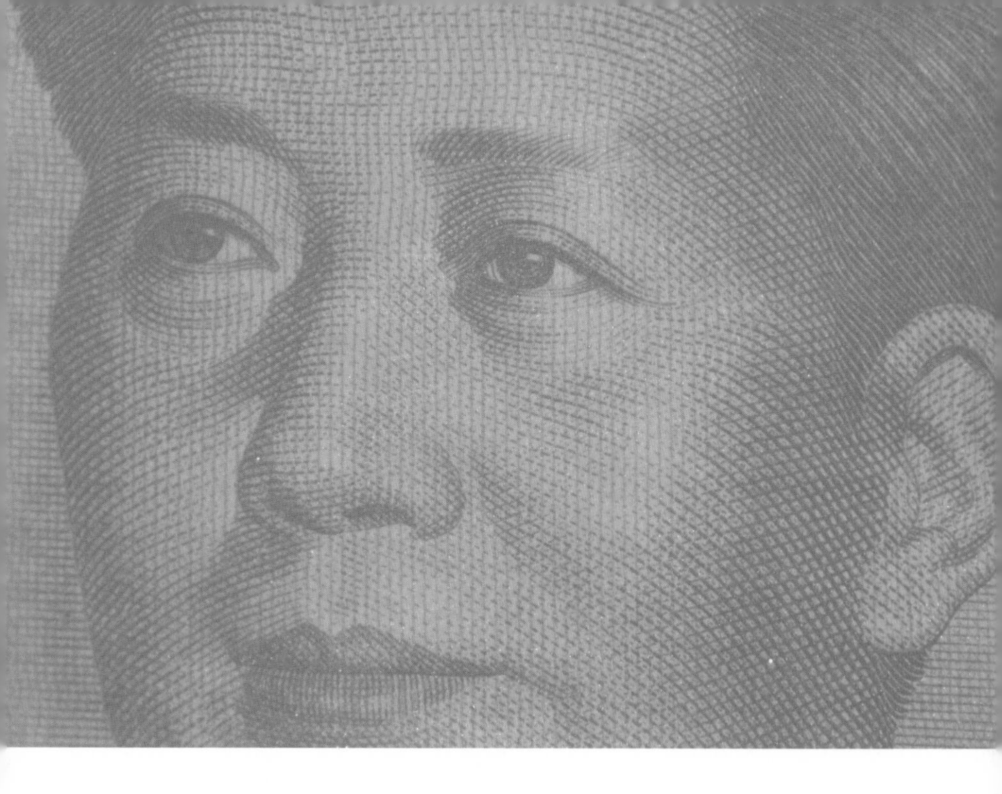

2

國際化路上人民幣
與美元的「碰碰車遊戲」

其實，沒有兩個國家面臨的國內和國際環境是完全相同的，每個國家都走著與別國不同的道路。當前，中國也正在逐步實現金融自由化、走在人民幣國際化的道路上，雖然中國並不能完全複製上述國家的道路，但回頭看看這些曾經為國際貨幣體系做出過歷史貢獻的國家，以它們為鑑，中國才能邁出正確的一步，並且越走越好。

大家都知道或者玩過碰碰車，這個遊樂場裡經常有的設施。如果在一個偌大的場館中，就你一輛車來回遊蕩，那麼你一定會覺得枯燥無味。至少要有一輛車在和你追逐碰撞，這個遊戲才會變得充滿樂趣。人民幣現在就在和美元玩這場「碰碰車遊戲」。也許以後還會有越來越多的「碰碰車」加入人民幣與美元的這場「遊戲」中，但是，當今仍是最強經濟體的美國，與當今發展速度最快、世界上最大的開發中國家——中國，在近幾 10 年內絕對是這場「碰碰車遊戲」的主角，人民幣在實現國際化的路途上，不能不與美元互相角力又互為依存，直至一方的「體力」和「能力」更勝一籌，成為最後的贏家。

統治世界貨幣體系已達半個世紀之久的美元，在遭遇百年一遇的金融危機後，已經認識到自身「一股獨大」的弊端——在危機來臨時，如果沒有援手便可能直落深淵。而人民幣則應該趁著與美元處於「蜜月期」的這一段時期，擴大自身的影響，在國際貨幣體系中站穩腳跟。

國際金融危機中的「雪中送炭」

美國過去在伊拉克戰爭中一意孤行，甚至不顧歐洲盟國的反對，導致了諸多的危機。如今，美國自己也意識到，在像 2008 年這樣嚴重的金融海嘯中，若無盟國的支持，沒有中國這樣的新興經濟體配合，美國經濟根本不可能安然度過難關。金融危機爆發後，美國經濟、金融的困境導致美元波動性加大。受美國聯準會非常規寬鬆貨幣政策，以及歷史性買入中長期國債之影響，美國在信貸緊縮的大背景下，將必然產生對長期通貨膨脹的預期。

在 2009 年全球經濟負成長的大趨勢之中，美國向全球輸出美元的能力呈下降趨勢。美國 2009 年 2 月的貿易逆差僅為 260 億美元，創 10 年新低。貿易逆差的下降意味著美元自動「外供」的總量下降，彌補離岸市場的美元缺口、避免信貸緊縮的惡化顯得尤為重要。

值得注意的是，金融危機爆發後 1 年的時間，中國不斷增持了近 1,000 億美元的美國國債，這使得中國的外匯存底與美國國債的緊密度是更加加強了而不是減弱了，美元到這時才看到人民幣是「雪中送炭」的朋友。同樣 進一步緊盯美元的人民幣顯現出「人民幣－美元」

的特性，並將伴隨人民幣國際化的過程，進一步呈現向「美元－人民幣」的轉化。

其實，在金融危機面前，中國是面臨抉擇的。中國可以呼應美國的要求，與世界強國攜手，幫助美國度過危機；中國也可以袖手旁觀，乘美國削弱之際，壯大自己。而中國選擇了與美國攜手。

中國總理溫家寶在出席聯合國年會時，明確表明中國會盡可能幫助美國應付金融危機，因為美國金融利益的損害，也會傷及持有鉅額美國債券的中國之利益；美國市場的萎縮，更會影響中國的出口。之後，中國國家主席胡錦濤在與前美國總統布希的通話中，確認中國與美國休戚相關、利益與共的立場。

金融危機之下，中國還面臨一種誘惑：曾受過亞洲金融風暴吹襲的亞洲主要經濟體，早已不那麼相信西方國家會顧及亞洲的經濟安危，甚至擔心西方轉嫁危機，日、韓等國家期盼與人民幣攜手，建立自己的亞洲貨幣。過去美國圍堵中國，不斷給中國「找麻煩」，如今美國遭難，依中國的金融實力，可放棄「救美構想」，趁美、歐多難之際，帶頭統合亞洲國家的力量，築起一道區域的「防火牆」，以亞洲自己的貨幣逐漸替代美元。

然而，如果中國真的這樣做，帶頭自成一家，那將不僅傷害了與美國、歐洲之間的互信，也有可能被其他國家利用。因此，不如在別人遭逢危機的時候「雪中送炭」，伸出援手，幫了美國，也是幫了中國自己。事實上，中國這種以德報怨的態度、幫助穩定世界金融秩序的做法，已經在美、歐民眾當中贏得了口碑、贏得了尊敬。

人民幣成為美元的「黃金搭檔」

2009年8月19日，季辛吉在《華盛頓郵報》（*Washington Post*）發表署名文章，認為過去幾10年來，世界已經習慣於「好胃口」的美國大量消費，而中國則向美國提供大量消費品。大量美元流入中國，然後中國再借錢給美國消費。中國曾經對美國這種「低風險、高增長」的模式非常嚮往。

金融危機之後，國際社會對美元的信心被動搖了。美國系統性的金融危機，使中國持有的美元資產面臨著極大風險。但為了保護自己手中的美元資產價值，中國又不得不繼續持有數額龐大的美元資產，其結果是難以避免地使中、美兩國陷入兩難的境地。一方面，兩個巨大經濟體之間的依存度大大增加，美國金融穩定和經濟增長符合中國的利益；另一方面，中國在經濟上減少對美國的依賴又符合自己的長遠利益。

與此同時，美國的通貨膨脹抑或是通貨緊縮，不僅僅拖累了美國自身，對中國來說也是一場噩夢。但從另一角度來說，中國手中已經持有了一根對美國影響空前巨大的經濟槓桿。

季辛吉認為，現在許多現象都說明了中、美互動的發展趨勢：無論公開或私下，中國官員現在比以前更頻繁地「指點」美元，表達中國自己的想法；中國正在增加與印度、巴西以及俄羅斯的貿易，並在貿易中使用這些國家的貨幣;中國央行正在使自己的外匯存底多元化。

許多美國人沒有重視中國對美國影響力與日俱增這一趨勢。但無數的歷史事件證明，中國在追求自己的目標時，總是有著極大的耐心。因此，美國人必須重視中國影響力的增長。為了避免中、美各自的政策最終走向對立，美國必須支持中國擴大在全球經濟體制決策過程中的發言權。

季辛吉最後認為，按照許多人的觀點，如果中國改變自身的經濟增長模式，把出口導向型的經濟增長轉為內需側重型的經濟增長，而美國則減少消費導向型經濟，那麼，世界經濟增長將重獲動力。但是，並非所有人都意識到，如果中國和美國都採納了這個「處方」，那麼經濟增長格局的變化，必然會導致世界政治格局的改變。屆時，中國對美國的出口依賴將大大減少，而中國周邊國家對中國市場的依賴將不斷增加，其結果是中國政治影響力的大幅提高。中、美間貿易依存度的減少，必然要用更多的政治合作來彌補。

事實上，加入 WTO 後，中國的金融業取得了長足的發展，金融資本和資產都大幅增長。中國工商銀行一躍成為全球市值最大的銀行，中國建設銀行和中國銀行也名列前十，這讓百年花旗等一流的美國銀行羨慕不已。但同時我們也應看到，中國的金融業仍然有多方面需要向美國學習。在國際化道路上，年輕的人民幣需要學習美元的老道沉穩，而美元同樣會感受人民幣的活力和信心。於是在「人民幣－美元」和「美元－人民幣」的交接中，未來的 30 年仍將是人民幣與美元的「黃金搭檔」期，搭檔得好，世界經濟就會更好。

值得注意的是，伴隨科學技術的進步，經濟全球化與金融一體化的過程進一步加快，未來美元、歐元和人民幣三大主導貨幣的區域經濟融合也進一步加快。在這個過程中，美元與人民幣都將是不可或缺的「搭檔」。對於人民幣來講，與美元緊密結合是加強其國際化的基礎，而人民幣國際化從長期來講，又是中國貿易去美元化的必然選擇。走向國際貨幣體系的未來，人民幣與美元需要結伴同行。

共為國際貨幣體系「療傷」

現在，美國人更意識到，為了未來的平等合作，美國必須摒棄「遏制中國」這一「冷戰詞典」中遺留下來的、頗具吸引力的政策，中國也必須警惕所謂打垮美國霸權、建立亞洲集團的論點。中、美之間必須吸取 20 世紀英國和德國之間由朋友變敵人的教訓。如果中、美對抗，在全球能源、氣候變化、防止核武擴散等需要中、美合作共同應對的全球性問題上，世界將面臨災難性的後果。

在中、美共同為國際貨幣體系「療傷」的時候，國際上出現了不同的聲音，有人稱中、美構建了「兩國集團」（G2）。季辛吉很不贊同這一說法，他認為，這既不符合兩國利益，也不符合全球利益。在 21 世紀，世界需要一個多邊機制。亞太地區的國家所存在的民族認同，比第二次世界大戰後的歐洲國家還要強烈，因此必須警惕亞太國家再次形成「保持勢力均衡」的國際政治觀。季辛吉認為，現在國際事務的重心已經在向亞洲轉移，美國也正在學習扮演著一個有別於霸權主義但仍能保持領導地位的角色。世界需要一個中、美緊密合作並對該地區所有國家開放的亞太合作框架。

在目前這種國際局勢中，中國更應清醒地認識中國的現狀和未來發展。2008 年中國 GDP 的全球占比約為 7%，貿易規模的全球占比約為 10%，而人民幣在全球外匯存底中的比重卻不足 1%，中國在國際貨幣基金組織的投票權占比則僅為 3.66%左右，特別提款權占比也僅為 3.72%左右。

從中國的這組數據能看出，現有國際貨幣體系與世界經濟的發展趨勢存在較大的不兼容性，失衡的體系結構放大了已開發經濟體的金融風險和經濟風險對全球產生的影響，這種結構失衡導致的直接影響，在某種程度上正是次貸危機擴大，直至演變為全球性金融危機的深層原因之一。

而人民幣推進國際化的過程，特別是以區域化方式走向國際，不僅能夠滿足周邊區域內不斷擴大的人民幣外部需求，還有利於國際貨幣體系結構風險的降低，對中長期的體系優化不無裨益。推進跨境貿易的人民幣結算，有利於在中長期內減少國際貨幣體系的結構風險，這其中主要是主流幣種地位與經濟、金融的全球力量對比變化相背離而產生的結構風險。

中國的當務之急，應是立足人民幣實現國際化，解決好自身的問題。首先，是解決國際貿易中的不平衡問題；其次，是透過人民幣的國際化，提前解決未來中國的通貨膨脹問題。

3

人民幣在國際舞台上漸進式崛起

中國古代兵法有云:「形禁勢格,利從近取,害以遠隔。」意思是,如果受到地勢的限制和阻礙,先攻取較近的地方就有利,而越過近敵先去攻取遠隔之敵就有害。也就是「遠交近攻」。在人民幣實現國際化的路途上,戰略至關重要。從地緣上看,人民幣首先要獲得周邊國家的認同,對於美國、歐洲等發達國家,從近期來看,盡量不要攻勢太猛,而是要獲得它們的支援。

如果你想讓別人願意持有你的貨幣,你必須生產出他迫切需要的 品,否則你用自己的貨幣結算就沒有發言權。從中國目前的出口結構來看,顯然還達不到這樣的要求,否則也就不用擔心出口增長的下滑。只有過了這個階段,才可以開始考慮貨幣的自由兌換、利率和匯率的市場化以及構建完善的金融市場,才能一步步完成貨幣國際化,因此既要保持幣值穩定,又要保持貿易逆差。貨幣國際化是天使也是魔鬼,或許我們應該先忘卻對狹義的人民幣國際化之憧憬。

人民幣實現自由兌換之路

能夠實現人民幣自由兌換是人民幣國際化的最基本前提。目前人民幣雖然實現了經常帳戶下的兌換，但這種兌換還不能算是完全的自由兌換，因為其前提還是必須要有合約單據做為憑證才能透過銀行進行兌換，並且還受到限額的控制，而且最主要的是資本帳戶下的兌換仍然受到嚴格管制。所以人民幣要實現完全的可自由兌換還有漫長的路要走。

什麼是貨幣自由兌換

那麼，到底什麼是人民幣的自由兌換？實現自由兌換後又會帶來怎樣的利與弊？

貨幣自由兌換是指，在一個統一的或健全的國際貨幣體系下，一國貨幣與他國貨幣可以透過某種兌換機制自由地交換。貨幣的可兌換性，可追溯到早期的各種金屬貨幣之間的兌換關係，但貨幣的自由兌換，傳統上認為源於金本位時代。進入 19 世紀，西方各主要國家先後實行了金本位制，在這一制度下，貨幣可在國際間不受限制地自由兌付、流通，這就是所謂的貨幣自由兌換。這種貨幣自由兌換是金本位制度的一個重要內容或典型特點。

按照國際貨幣基金組織的規定，自由兌換就是取消匯兌限制。國際上均以「國際貨幣基金組織協定」中第八條的規定，做為觀察一國貨幣可兌換性的依據。該規定認為，成員國對國際經常帳戶下交易的資金支付和轉移不加限制，不是歧視性安排和多重匯率制度，並隨時有義務按別國要求換回其經常往來中結存的本國貨幣，即是可兌換貨幣。

按照貨幣自由兌換程度的不同，國際貨幣基金組織把貨幣兌換分為「國際收支經常帳戶下自由兌換」和「資本帳戶下自由兌換」。全面的可完全自由兌換的貨幣指的是，一國貨幣在經常帳戶下和資本帳戶下均可實現兌換。

經常帳戶下可自由兌換，指與外貿有關、與適量貸款本金償還或直接投資折舊有關及與適量的家庭生活費用匯款有關的本、外幣兌換不受管制。目前，在與經常帳戶下有關的交易中，人民幣與外匯可以自由兌換，不受限制。經常帳戶下交易包括商品貿易、服務貿易、紅利付息、無償轉移。

但是國際貨幣基金組織對資本帳戶下的可兌換沒有給予嚴格界定，一般認為資本帳戶下的可自由兌換就是取消對短期金融資本、直接投資和證券投資引起的外匯收支的各種兌換限制，使資本能夠自由出入境。目前，在與資本帳戶下有關的交易中，人民幣與外匯尚未實現不受限制的自由兌換。資本帳戶交易下包括直接投資、間接投資（股票、債券、國際借貸和存款）等。在具體實踐中，某些國際儲備貨幣在國際化過程中，依然對資本帳戶下的兌換實施一些必要的限制，對外國直接投資額的構成、外債規模進行控制，但不影響根本上的自由兌換性。

一般認為，經常帳戶下可兌換是最低層次的可兌換，資本帳戶下的可自由兌換則是高層次的貨幣兌換形式。

資本帳戶：可自由兌換的關鍵

現在中國公民可以到許多國家旅遊，出國之前可以到銀行把一定數量的人民幣換成外幣，以帶到國外旅遊消費及購物使用。那麼人們為什麼還想自由兌換人民幣呢？其實，人民幣自由兌換雖然對普通百姓來說是更方便了點，但它最大的意義並不是滿足一般的消費與投資，而是開放資本帳戶。開放資本帳戶後，無論中國人還是外國人，手中掌握的儲蓄資產可以隨時從人民幣轉成外幣或者由外幣轉成人民幣。當中國市場行情走低時，人們手裡掌握的人民幣儲蓄資產可以換成外幣到外國其他市場上去投資；如果中國市場行情轉好，人們又可以再把境外的投資賣掉，轉到國內投資。

長期以來，人民幣都被國際社會歸類為不可自由兌換的貨幣。一般來講，一國貨幣的國際化是在該貨幣實現了完全可兌換之後才能企及的。人民幣國際化必然要求資本帳戶進一步開放，因為資本帳戶可兌換性的實現，可以使人民幣在全世界大規模地流通，提高人民幣的聲譽和被接受度。

對於中國目前資本帳戶的可兌換情況，一般觀點認為，在國際貨幣基金組織規定的資本帳戶的43個子帳戶中，人民幣可兌換在45%的子帳戶中大致實現，在25%的子帳戶中部分實現。但總體來看，人民幣目前已經實現了經常帳戶自由兌換、部分資本帳戶可兌換、部分國內可兌換，和在某些國家或地區的國際化同時並存的多層次的可兌換性。

人民幣可兌換的歷史

回溯改革開放30年這段歷史，中國與世界各國的經濟關係越來越密切，國際收支與外匯存底迅速增加。

而且，中國已啟動了外匯管理體制改革，明確指出改革的最終目標是實現人民幣的完全可自由兌換，從而拉開了中國人民幣自由兌換的序幕。

1994 年 1 月 1 日起，人民幣實現官方匯率與外匯調節市場匯率同步，於是人民幣匯率向市場匯率靠攏，這是以市場供求為基礎的、單一的、有管理的浮動匯率制。1996 年 7 月 1 日，中國將外商投資企業的外匯交易納入了銀行結售匯體系，取消了經常帳戶下尚存的主要匯兌限制。1996 年 11 月 27 日，當時的中國人民銀行行長戴相龍正式致函國際貨幣基金組織，宣布中國不再適用「國際貨幣基金組織協定」第十四條第二款的過渡性安排，自 1996 年 12 月 1 日起接受「國際貨幣基金組織協定」第八條第二、第三、第四等條款規定的義務，實現人民幣在經常帳戶下的可自由兌換。實現資本帳戶可兌換在內的人民幣完全自由兌換，成為中國外匯管理體制改革的最終目標。早在 2003 年，中國共產黨十六屆三中全會通過的「中共中央關於完善社會主義市場經濟體制若干問題的決定」中，提出了要「在有效防範風險的前提下，有選擇、分步驟放寬對跨境資本交易活動的限制，逐步實現資本帳戶可兌換」。2007 年 10 月 15 日，黨的十七大報告中再次強調「逐步實現資本帳戶可兌換」。

在實踐中，中國在政策上不斷放寬對居民用匯的限制。2006 年中國人民銀行表示在上海浦東試點開放小額外幣兌換。2008 年國家外匯管理局批准在北京和上海開展個人本、外幣兌換特許業務試點，經批准符合條件的境內非金融機構可以為個人提供本 外幣兌換服務。

在2009年的3月25日 溫家寶總理提出「2020年，將上海基本建成與中國經濟實力和人民幣國際地位相適應的國際金融中心」，受到普遍的關注。至少這可以被解讀為在人民幣可自由兌換上有了一個基本時間表，因為畢竟歷史上還沒有任何一個國家，能夠在貨幣不可自由兌換的條件下建立國際金融中心。

資本帳戶——人民幣國際化過程的制約？

根據其他國家的經驗，實現資本帳戶下貨幣可兌換需要較長的準備或過渡時間。因此，人民幣資本帳戶可兌換過程在一定程度上會影響人民幣國際化的過程。

目前中國已與一些國家簽訂了貨幣互換協議，使得外國獲得了大量的人民幣。這看起來好像是政府之間已經實現了自由兌換，企業再透過國家間接獲得人民幣即可。但實際情況是，貨幣互換的真實運行機制是外國央行透過互換得到中國的人民幣，然後把人民幣注入它們國家的金融機構，使得它們國家的企業能夠直接借到人民幣，並用於支付對中國的債務和購買中國的產品。也就是說，簽訂貨幣互換協議的實質是為了促進貿易的持續穩定、加速貿易的復甦，作用點是在經常帳戶上，而對於資本帳戶來說，影響不大。它對改變資本帳戶下兌換受限的狀況沒有任何作用，外國企業仍然無法在金融市場上透過自由兌換得到人民幣，無法對中國進行資本帳戶的投資，而只是在協議的額度範圍內、在有合約單據的情況下，才能換得人民幣進行經常帳戶下的貿易而已，因此，人民幣不可完全自由兌換的現狀仍沒有得到實質性的改變。

實現人民幣完全自由兌換的利與弊

開放資本帳戶可以帶來許多好處。比如，缺少資本的投資人可以更容易找到資本，願意向外投資的人可以分攤投資風險。特別是企業，會在開放資本帳戶中找到許多好處。如果它在國外設有許多分支，在不同的國家投資，當本國的市場轉入低潮時，它在國外的投資盈利可以彌補國內的損失，保持總體利潤水準，反之亦然。如果資本自由流動能帶來更多的回報，反過來就會刺激儲蓄與投資，也就會促進經濟增長。

當然，開放資本帳戶也會帶來風險。人民幣自由兌換不是一個簡單的加減法問題，它帶來收益的同時也伴隨著極大的風險，甚至會導致金融危機，因此各個部門要加強配合，精心設計，建立一個必要的戰略計畫和時間表，讓整個過程系統化。開放資本帳戶，從理論上說可以方便中國資本向外流動，但也方便了外國資本向中國流動。外國證券投資資本進入中國後，雖然能給許多企業提供新的機會，卻也會使金融市場上的競爭加劇。這種操作風險巨大，控制不住就會演化成為危機。

從其他開發中國家資本帳戶下貨幣自由兌換的過程來看，當一國資本帳戶下實現貨幣自由兌換後，很容易引起大量資本流入，導致國內經濟過熱，出現通貨膨脹，最終引發經濟危機。或者一國資本帳戶下貨幣可以自由兌換後，引起國際投機客的大量熱錢頻繁進出該國，對該國金融市場造成嚴重影響。

因此，要使資本帳戶開放能促進中國的經濟發展，關鍵是要做好市場的前期準備工作。中國需要一步步、有計畫地整頓好自己的金融市場，然後再開放資本帳戶，吸收更多的外來資本為發展自己的經濟服務。

西歐主要工業國在第二次世界大戰以後為了開放自

己的資本帳戶都精心準備了多年。法國在歷史上就是金融大國，法國市場按理說對金融操作很熟悉，但是即使是這樣的金融大國，在第二次世界大戰以後一直在實行資本管制，準備了近 30 年才最後開放資本帳戶。人民幣自由兌換起碼要有一個 10 ～ 15 年的時間表，要認真落實發展金融市場的幾個步驟，並根據發展金融市場的情況來決定開放資本帳戶的時間。在開放資本帳戶方面，任何輕率的決定都可能毀掉中國經濟改革獲得的巨大成果，因此一定要謹慎！

跨境貿易人民幣結算開始「試水溫」

跨境貿易人民幣結算，是指以人民幣報關並以人民幣結算的進出口貿易結算。它的業務種類包括進出口信用證、託收、匯款（包括預收預付款和貨到付款）等多種結算方式。目前，依法註冊成立並獲得進出口資格的企業，經試點地區政府推薦及中國人民銀行等相關部委確認後，可以參與跨境貿易人民幣結算試點。

金融危機刺激人民幣走出去

早在 20 世紀 90 年代，中國與有關鄰國就已開始在邊境貿易中使用人民幣進行結算。迄今為止，中國已與越南、蒙古、寮國、尼泊爾、俄羅斯、吉爾吉斯、朝鮮和哈薩克斯坦等八個國家的中央銀行，簽署了有關邊境貿易本幣結算的協定。近些年來，隨著中國經濟持續健康發展和對外開放程度不斷提高，中國與周邊國家和地區的貿易量不斷增長，將本幣結算從邊貿擴展到一般國際貿易的需求不斷增加。人民幣結算不僅降低了匯率波動給出口企業帶來的風險，也減少了企業的結售匯成本。

受到金融危機的刺激，2008 年 12 月 24 日，中國國務院決定對廣東和長江三角洲地區與港澳地區、廣西和雲南與東協的貨物貿易進行人民幣結算試點。

2009 年 1 月 20 日，中國人民銀行與香港金融管理局簽署為期 3 年、總規模人民幣 2,000 億元（約 2,270 億港幣）的貨幣互換協議，以推動兩地人民幣貿易結算業務的發展。

2009 年 4 月 8 日中國國務院常務會議決定，在上海市和廣東省廣州、深圳、珠海、東莞四城市開展跨境貿易人民幣結算試點，這標誌著人民幣結算由此前僅限於邊貿領域開始向一般國際貿易拓展。

2009 年 6 月 29 日，中國人民銀行行長周小川與香港金融管理局總裁任志剛在香港機場簽訂補充合作備忘錄，標誌著兩地人民幣貿易結算準備就緒。

2009 年 7 月 2 日、3 日，中國人民銀行、財政部、商務部、海關總署、稅務總局、銀監會等六部門聯合發布「跨境貿易人民幣結算試點管理辦法」及其實施細則，香港與內地試點城市之間正式開通貨物貿易項下的人民幣結算管道。

首批試點銀行積極備戰

做為人民幣跨境貿易結算首批試點銀行，中國銀行上海分行進入「一級戰備」。在「發令槍」響之後，2009 年 7 月 4 日中國銀行就宣布，中國銀行廣東省分行已分別與中銀香港、匯豐銀行簽訂「人民幣貿易結算清算協議書」。中國銀行由此成為首家完成與海外代理銀行簽署「跨境貿易人民幣結算清算協議」的銀行，並已經可以開始代理上述兩家銀行的人民幣資金跨境結算和清算。除中國銀行以外，廣東省內多家銀行都提前做好了準備，省內工商、農業、中國、建設、交通、中信、招商等七家銀行都表示，只待政府和監管部門將最後細節就緒，便可立即為企業開辦各項跨境結算業務。

2009 年 7 月 6 日，由上海市政府主辦的「跨境貿易人民幣結算試點啟動儀式」在上海四季酒店舉行，交通銀行和中國銀行同時完成首單簽約，標誌著跨境貿易人民幣結算業務正式「落滬」。

上海電氣集團、上海絲綢集團、上海環宇進出口公司等三家在滬企業，與香港、印尼的貿易夥伴簽訂了首次採用人民幣做為跨境貿易結算貨幣的貿易合約。中國銀行上海市分行、交通銀行上海分行完成了第一筆由內地企業出口香港、貿易貨款經中銀香港匯入內地的跨境貿易人民幣匯入匯款業務，以及第一筆跨境貿易人民幣匯出匯款業務，涉及兩筆總值為人民幣 1,398 萬元的出口項目和一筆人民幣 30 萬元的進口項目。結算資金順利就位，跨境貿易人民幣結算試點正式啟動，標誌著人民幣在國際貿易結算中的地位從計價貨幣提升至結算貨幣。

「這次連柬埔寨和印尼的銀行也爭著成為代理銀行」，交通銀行國際業務部總經理張小明形容跨境貿易人民幣結算業務成了「大熱門」。不僅交通銀行和中國銀行這兩家率先試點的商業銀行競爭激烈，而且港澳和東協境外試點地區的眾多外資銀行也欲從中分一杯羹，大致覆蓋了目前中國企業「走出去」的最為集中的區域。

交通銀行國際業務部高級經理楊敏表示，目前交通銀行部分海外分行已在中國境內分行開立人民幣同業往來帳戶。匯豐香港、匯豐澳門、恆生、越南工貿、柬埔寨加華、創興銀行等 19 家境外代理銀行，與交通銀行簽署了人民幣代理結算協議，並開立了人民幣同業往來帳戶。

而中國銀行上海市分行也與 11 家海外代理行簽署了「人民幣貿易結算清算協議書」，開立人民幣清算帳戶，同時為 17 家中國銀行海外分支機構開立人民幣清算帳戶。這 11 家海外代理銀行主要位於企業人民幣結算需求較多的港澳和東協地區，包括渣打銀行（香港）、東亞銀行、馬來西亞馬來亞銀行、泰國盤谷銀行、新加坡華僑銀行、香港永亨銀行、日本三菱東京日聯銀行香港分行、日本瑞穗實業銀行香港分行、印尼曼地利銀行香港分行及韓國韓亞銀行（香港）分行。

幾大問題亟需面對

跨境貿易人民幣結算實質上拉開了人民幣自由兌換的序幕，這不僅關係到對資本帳戶依序開放的監管，同時也會直接影響到中國的貨幣與匯率等宏觀環境。毋庸置疑，人民幣跨境貿易結算試點的開始，為人民幣國際化做了暖身。但實行跨境貿易人民幣結算試點只是人民幣國際化的開始，要穩定推進這項業務還有幾大問題需要解決。

第一，外國進出口商人民幣資金的來源問題。目前外國進出口商獲得人民幣有兩種途徑，一是透過和中國政府的貨幣互換獲得人民幣資金，二是透過出口獲得人民幣資金。這樣的資金來源存在很大的局限性，必須逐步擴大貿易往來國獲得人民幣資金的途徑。

第二，人民幣匯率制度問題。目前中國人民幣對美元匯率是主導匯率，人民幣對非美貨幣的匯率是套算匯率。隨著跨境貿易人民幣結算交易不斷增多，對方國的貨幣和人民幣之間的匯率在該國將變得越來越重要，該國確定本國貨幣和人民幣匯率的基礎將取決於中國市場人民幣的匯率，因此提高中國人民幣匯率市場化的水平將有利於對方國確定本國貨幣對人民幣匯率的市場水準，有利於形成市場均衡的國內外匯率水準。

第三，人民幣的自由兌換。人民幣的自由兌換變得越來越迫切。如果人民幣不能和主要國際貨幣自由兌換，進出口商持有人民幣的意願將下降，不利於人民幣進一步走出去。

第四，人民幣資金的回流。人民幣充當貿易往來的結算貨幣，外國進出口商必然會產生人民幣資金的結餘。短期內中國的銀行在海外的分支機構應該吸納該國的人民幣資金存款，為該國人民幣資金提供投資管道。

長期來看，中國國內金融市場應該逐步對國外的人民幣資金回流實施開放。

因此，人民幣跨境貿易結算試點只是人民幣國際化的開始，還有許多後續的問題需要解決。但可以預見的是，隨著人民幣做為結算貨幣的日常化，為完善基礎設施以及基本政策，定會有更多的利多措施出爐以支撐這個辦法的施行，中國的金融將越來越與國際接軌，中國經濟將越來越開放。

人民幣國際化前景

實際上，在世界貨幣格局中，日圓的衰落使人民幣國際化前景大為改觀。最近 10 多年，日本的經濟實力和美國、歐盟相比仍有相當大的差距，經濟持續衰退，日圓利率低，股票市場長期低迷，日本在亞洲的政治地位不高，亞洲國家對日本缺乏信任感，這些因素都導致了日圓的國際化過程受阻。在歐元剛啟動的 1999 年，日圓在全球外匯存底中的占比為 6.4%，歐元為 17.9%，而 2004 年日圓占比下降到 3.9%，歐元則上升到 24.9%。2006 年，英鎊超過日圓，成為第三大儲備貨幣。逐漸崛起的英鎊已使日圓淪落為次級貨幣，失去與美元、歐元等軸心貨幣抗衡的能力，一直以美元、歐元、日圓三大貨幣為主導的世界貨幣格局已有所變動。日圓的失落使世界貨幣格局中缺失了亞洲的力量，這與三足鼎立的世界經濟格局不相稱。從長遠來看，在世界貨幣格局中，必須有亞洲的一席之地，而人民幣應該是其有力的競爭者之一。

當前，亞洲貨幣金融合作給人民幣提供了廣闊的舞台。在亞洲金融危機之後，區域貨幣金融合作不斷加強，東協與中、日、韓三國的「10+3」貨幣互換安排和亞洲債券基金具有標誌性意義，多邊儲備庫也被提上議事日程。東亞貿易自由化和投資便利化需要一種區域貨幣做為媒介。中國正在成為亞洲經濟的領導者，有責任帶動地區經濟發展，並擴大自己做為地區大國的作用。經濟領導者地位為人民幣成為區域貨幣奠定了基礎。在區域貨幣合作中，存在日圓和人民幣的主導權之爭。從短期來看，現階段中國參與建立諸如「10+3」的貨幣聯盟，人民幣能發揮重要作用，但作用很難超過日圓，這或多或少會影響人民幣國際地位的提升；從長期來看，某種貨幣如果能夠成為區域內主導貨幣，則貨幣聯盟會顯著增強該貨幣的影響力。與日本相比，中國在東亞政治外交中不存在歷史遺留問題，政府負責任的態度也得到大多數國家的認可。在區域貨幣聯盟成為趨勢的情況下，儘管現在人民幣還很難與日圓抗衡，但是透過在聯盟內的合作和競爭，靈活地處理有關問題，人民幣將能夠有效地對日圓形成制衡。

人民幣國際化前景已經顯現一些良好的跡象。在國際上，人民幣的認可度和影響力高過其國際化程度。世界上主要國家紛紛將人民幣做為貨幣指數幣種。亞洲一些國家，比如菲律賓，已經將人民幣列為可兌換貨幣。芝加哥商業交易所也推出了人民幣期貨期權合約。早在 2005 年，國際貨幣基金組織就討論是否需要將人民幣納入構成特別提款權的貨幣籃子，可以預計人民幣在 2011 年特別提款權修訂時會成為籃子貨幣。國內外對人民幣的國際前景非常看好，有人甚至預言未來 20 年內世界貨幣體系將形成以美元、人民幣、歐元三大貨幣為代表的新格局。儘管這還有待時間驗證，但是人民幣具備在未來 10 年裡躋身日圓、英鎊這樣次級國際貨幣的潛力，將和日圓一起在世界貨幣體系中代表亞洲一方。這種良好前景，將提升人民幣國際化的利益，並相應降低國際化的弊端。

潛質的魅力——人民幣與區域「法定貨幣」

根據「三步走」（鄧小平在「十三大」中提出的：第一步即20世紀80年代末，實現國民生產毛額比1980年增長一倍，解決人民的溫飽問題；第二步到20世紀末，使國民生產毛額再增長一倍，人民生活達到小康水準；第三步到21世紀中葉，人均國民生產毛額達到中等開發國家水準，人民生活比較富裕，大致上實現現代化。）路線，人民幣可依次成為周邊國家貿易結算貨幣，然後成為區域性的投資貨幣，最後將成為國際儲備貨幣，為全球各國所接受。也就是說，人民幣要實現國際化，首先要有周邊化做為支點，而周邊化的涵義即是成為區域「法定貨幣」。

馬克對歐元的貢獻

所謂的區域「法定貨幣」，即是在區域貨幣一體化中發揮主導作用的中心貨幣，它在貨幣一體化的過程中扮演著關鍵角色。以歐洲貨幣一體化為例，德國馬克被普遍接受做為區域「法定貨幣」並發揮作用，是歐洲實現單一貨幣制的重要條件，並直接促成了歐元區的最終形成。當然，在歐洲貨幣聯盟建立過程中，一方面德國馬克自身符合區域「法定貨幣」的基本條件，另一方面有核心國家的極力推動和其他國家的積極配合，馬克成為「法定貨幣」也就顯得較為順理成章了。

德國的貨幣一體化過程，大體上分三個時期。首先是 20 世紀 80 年代兩德統一前，此期間兩種貨幣（前西德馬克和前東德馬克）並行使用，國內貨幣還沒達到統一。第二時期為兩德統一後至歐元啟動前，此期間德國推動了歐洲貨幣的一體化。第三時期為歐元啟動、馬克退出流通的時期。

貨幣國際化可以獲得鑄幣稅收益，但在獲得利益的同時，也要承擔起相當的國際責任。在歐元誕生的道路上，德國對其他歐盟國家給予大量援助，使其金融指標符合「最優貨幣區」理論的約束條件，使歐元順利啟動。德國是歐元區最大的經濟體，也是歐元區最大的財政貢獻國，因而德國承擔了經濟大國的責任，使歐盟其他國家能夠從貨幣的統一中受益，這樣它們才會自願放棄貨幣主權。

在歐元誕生的過程中，對馬克最具競爭力的是英鎊。英國的經濟實力雖遜於德國，但由於歷史的原因，倫敦仍是目前世界最大的外匯交易中心和最活躍的美元離岸金融市場。不過英國自願放棄加入歐元區，最終歐元以馬克為模板，歐洲央行總部設在法蘭克福，央行的貨幣政策也以德國中央銀行的為藍本。說到底，這是以經濟和政治實力決定的。德國的社會市場經濟模式及中央銀行獨立的貨幣政策成為歐洲的典範。「歐元之父」蒙代爾指出：最強的貨幣是由最強的政治實力提供的。

在東亞貨幣一體化的過程中，到底哪一國貨幣能夠扮演馬克的角色？在亞洲貨幣一體化問題上，對由誰來充當區域「法定貨幣」還未達成共識，儘管大部分學者將目光都集中在人民幣和日圓兩大區域內關鍵貨幣上，但由於亞洲特殊的經濟、政治背景，使區域「法定貨幣」的選取成為一個極為複雜的問題。

人民幣和日圓誰能擔當「法定貨幣」

那麼中國是否有能力承擔起類似德國這樣的大國角色呢？由於貨幣一體化涉及到不同主權國家的貨幣，因此區域「法定貨幣」往往是透過貨幣之間的競爭，最終由最符合「法定貨幣」標準的強勢貨幣擔當。人民幣在實現區域化和進行區域合作的過程中，是否具有充當區域「法定貨幣」的競爭力？

改革開放以來，中國在區域經濟中的對外合作越來越多。早在 2001 年，中國就已經取代日本成為東協地區最大的投資國。同時，中國日益擴大和開放的國內市場，為吸收亞洲國家的出口提供了重要基礎。據統計，2005 年中國對亞洲地區的進出口總額達 8,079 億美元，占該年中國進出口總額的 56.8%。同時，做為貿易順差國，中國在和亞洲地區的貿易中卻一直保持逆差。以 2005 年為例，中國對亞洲地區出口額為 3,664 億美元，而進口額則為 4,415 億美元，貿易逆差達到 751 億美元（參見下表）。此外，中國和東協簽訂的「中國與東協自由貿易協定」更是標誌著一個擁有巨大市場和發展潛力的區域經濟體之誕生。隨著中國經濟實力不斷增強和人民幣匯率持續穩定，人民幣在中國與毗鄰國家經濟交往中做為支付貨幣的使用範圍和規模不斷增加，國際地位不斷提高。

中國對亞洲地區貿易和投資總額

單位：萬美元

類別＼時間		2004年		2005年	
		亞洲	世界	亞洲	世界
貿易	中國出口	29548698	59332558	36640758	76195341
	中國進口	36941949	56122875	44147945	65995276
	進出口總額	66490647	115455433	80788703	142190617
FDI	中國FDI流出	300027	549799	437464	1226117
	中國FDI流入	3761986	6062998	3571889	6032459

資料來源：《中國統計年鑑》2006卷。

我們再來看看被看作是人民幣成為亞洲區域「法定貨幣」最大競爭對手的日圓的情況。早在 20 世紀 70 年代末的日圓國際化初期，日本的金融自由化改革就開始了。迄今，日本已經擁有較為完備的金融市場和發達的金融體系，東京也是世界上重要的國際金融中心之一，這些為日圓成為區域「法定貨幣」奠定了必要的基礎。但是，日本金融體系存在的諸如金融管制嚴格、不良債權惡化、資本市場落後等問題並沒有在日圓國際化過程中得到妥善解決，反而在很大程度上被遮蓋，埋下隱患；日圓國際化打亂了日本金融改革的正常步驟，矛盾錯綜糾結。這些問題在 20 世紀 90 年代的日本金融危機中充分暴露，不少銀行、證券公司相繼倒閉，金融體系受到強烈衝擊，嚴重影響了日本金融市場的穩定和東京國際金融中心的地位。

現在，連日本的媒體都不得不承認人民幣地位在不斷地提升。2009 年 8 月 2 日，日本《朝日新聞》（Asahi Shimbun）發表文章，題目是「人民幣對亞洲展開攻勢」。文中舉出兩個例子，證實人民幣影響力的不斷擴大。例一：在越南經營餐飲店的某日本男子每月要去一次河內的外匯黑市，在那裡，他把從顧客那裡收到的越南盾兌換成人民幣，然後再用人民幣購買從中國進口的蔬菜和海產。例二：印尼某汽車銷售商在向上海某零部件廠商支付貨款時放棄使用美元結算，選擇用人民幣進行結算。受銷售商委託，中國工商銀行向印尼的法人開出了約 37 萬元的人民幣信用憑證，用以支付貨款。

人民幣和日圓競爭的利益基點，是一方勝出後在亞洲區域內擁有的貨幣霸權地位。透過更為廣泛地充當區域內交換、結算、計值、儲備貨幣並單獨擔當「法定貨幣」，競爭的獲勝方有機會在亞洲區域內充分享有貨幣國際化帶來的積極效應，諸如提升該國的區域地位、贏得更大的發言權、獲得更多的國際鑄幣稅、降低匯率風險和交易成本等。

可以這麼說，在未來的 10 幾年或幾 10 年中，如果中國與日本二者中有一國脫穎而出，那麼它將自然地成為東亞貨幣一體化的領導者；如果二者力量對比依然不明顯，那麼無論人民幣還是日圓，都很難成為東亞貨幣一體化的核心貨幣，屆時中國和日本需要共同合作，選擇發行共同貨幣——亞元。

雖然日本的經濟發達程度在中國之上，且日圓早已經是三大國際貨幣之一，但近 10 年來，日本經濟一直沉溺在通貨緊縮的泥淖中，發展乏力，而中國近年來的經濟表現令世界矚目，人民幣幣值強勢，從發展的角度看，中國更加有潛力。中國應積極主導創建亞洲貨幣基金、亞洲貨幣單位和亞洲匯率機制，逐步提高人民幣的影響力，並使之成為區域內的主導貨幣，逐漸提高人民幣在亞洲貨幣單位中的權重，待條件成熟時，使人民幣分步驟地完全替代貨幣區內其他國家或地區的貨幣，真正實現人民幣區域化。

人民幣實現區域化需做兩項準備

在實現人民幣區域化的同時，要做好兩項準備。一個是構建人民幣回流機制，增強境外居民和非居民持有人民幣的信心。加快推進人民幣國際化，在技術層面上要考慮到解決境外人民幣回流的問題。如果人民幣沒有暢通管道回流到中國，周邊國家和地區包括世界各國將難以把人民幣當作區域儲備貨幣。我們除了擴大在邊境貿易中使用人民幣結算以外，還可以考慮允許周邊國家和世界各國用人民幣購買中國政府債券或對中國進行直接投資。另一個是建立健全人民幣跨境流通監測機制，防範和化解金融風險。在人民幣國際化過程中，國際金融市場上將流通一定數量的人民幣，而人民幣在國際間的流動可能會削弱中國中央銀行對國內人民幣的控制能力，影響國內宏觀調控政策實施的效果。為了防範和化解因人民幣國際化所帶來的金融風險，必須建立健全人民幣跨境流通監測機制，對人民幣跨境流通進行實時監控。

需要強調的是，人民幣成為亞洲主導貨幣，必須在人民幣可完全自由兌換的前提下才有可能實現。成為「法定貨幣」，也就是成為區域主導貨幣，是人民幣走向國際化的中級階段。中國雖然現在只是走出了國際結算這一小步，還沒有實現資本帳戶下的可自由兌換，但是誰也不能否認人民幣成為亞洲主導貨幣的可能性。人民幣是亞洲正在冉冉升起的貨幣明星，具有令人期待的發展前景。

香港可扮演重要角色

由於特殊的地理位置和文化因素，香港能夠在人民幣國際化的過程中扮演重要角色。比如，可以利用香港為平台，透過香港發達的國際貿易網絡，實現人民幣結算。香港是一個完全對外開放的「境外」城市。港幣可自由兌換，資金可自由進出，資訊可自由流通，這些都是香港能做為推行人民幣國際化試驗場所的良好條件。

此外，香港做為國際金融中心，有充裕的條件開辦與人民幣有關的業務，可為推進人民幣國際化盡最大努力。同時，香港在開發、設計及推廣金融產品方面有豐富經驗，可以令推行人民幣國際化的過程事半功倍。除了做為直接的推動者、參與者，香港亦可以扮演間接的角色，即做為中國金融市場的一個延伸，利用香港金融業務的經驗，推動人民幣資金的匯聚和流動。

人民幣國際化——走自己的路

人民幣國際化路線

對於人民幣實現國際化的路線問題，經濟學家們從不同的角度提出了多種意見。

《科學時報》首席經濟學家武建東認為，美元、歐元和人民幣應該在未來 5 ～ 8 年之內，透過整合成為主要的國際貨幣體系的本位幣，也就是應該成為新的國際貨幣體系本位制的基礎，三者之間的互動應該成為體系本位制的主要結構和規則。營建人民幣為國際貨幣本位幣的戰略步驟應該是：初期 3 年內可限於經常帳戶和有管制的資本帳戶的結售匯；3 ～ 5 年內應放寬資本帳戶的結售匯；8 年左右的時間內，應努力實現除特殊項目外的資本帳戶的全部兌換，並推進人民幣成為國際貨幣本位幣。

光大銀行董事長唐雙寧用兩個「三步走」描繪出人民幣國際化的路線。一是地域的「三步走」。目前人民幣在周邊地區以「強勢貨幣」的形式出現，已經實現了準周邊化，將來人民幣可以由準周邊化發展至正式周邊化，進而發展至正式區域化及準國際化，最終人民幣將真正實現國際化。二是貨幣職能的「三步走」。配合地域的「三步走」，人民幣可依次成為周邊國家貿易結算貨幣和區域性的投資貨幣，最後人民幣將成為國際儲備貨幣，為全球各國所接受。

還有人認為，人民幣要經過「四步」才能實現國際化。第一步，讓周邊國家持有甚至儲備人民幣；第二步，允許甚至鼓勵中國的進出口交易按照人民幣進行結算；第三步，與周邊國家實行人民幣與周邊國家本幣的貨幣互換安排；第四步，在香港建立交易主體更為廣泛的人民幣交易市場，在外資和外貿占全國 30%～ 40%的廣東省建立人民幣衍生性金融產品市場，以推動金融機構和企業真正實現對貨幣匯率風險的保險，並由此放任人民幣的國際化。

清華大學中國與世界經濟研究中心李稻葵則認為，根據中國經濟的特點，可以採取一種雙軌制、漸進式的人民幣國際化步驟。雙軌制的第一條軌，是人民幣在中國境內實行有步驟、漸進式的資本帳戶下可兌換，同時加強中國金融體系的效率。其中包括許多措施，如境外合格機構投資者計畫（QFII）、境內合格機構投資者計畫（QDII）；還包括各種有步驟的資金對外開放，如境內資金投資港股，但這種開放是有限制的、定向的。另外，可以考慮邀請海外大型企業如蘋果電腦（Apple）、

IBM、英特爾（Intel）到A股市場發行人民幣債券或股票，使得一部分人民幣兌換成美元流出境外，也由此改善中國公司的管理水準和資本市場的運作效率。雙軌制的第二條軌是在境外，主要是在香港。香港完全可以盡量擴大以人民幣計價的債券市場規模，利用香港國際金融中心的優勢，不斷擴大以人民幣計價的金融資產規模以及交易水準，其目的是在境外盡快形成與歐元證券和美元證券抗衡的人民幣金融市場。這種逐步擴大的、以人民幣計價的金融交易，對於在條件成熟時的人民幣國際化過程將是一個極大的推動力。這一措施，也可以在很大程度上化解外資進入內地賭人民幣升值的壓力。為此，中國央行可以考慮在香港建立與當地資本市場規模相匹配的人民幣外匯交易市場，但是，這一市場的規模應該受到一定限制，比如，規定參與交易者必須是人民幣證券市場的交易者，而參與交易的額度受其證券市場的交易額度之限制。設置這些限制的目的是使這一市場不會對人民幣政策造成主要的衝擊。

也有學者認為，從目前的國際政治、經濟格局看，人民幣已大致實現了周邊化。關於人民幣的區域化，可在東協與中國「10+1」的經濟合作框架內逐步謀求貨幣合作，透過固定各自的匯率，對外聯合浮動，時機成熟後，可以用強勢的人民幣替代其他的貨幣，或以人民幣為主導創造單一貨幣，實現貨幣統一。其次，可以在東協與中國「10+1」的基礎上拓展到東協與中、日、韓「10+3」，聯合日、韓。屆時，人民幣將真正成為具有深遠影響力的國際貨幣，如同歐元對於歐洲、美元對於美洲一樣。

實際上，關於人民幣如何實現國際化，目前已有了一個較為清晰的路線，即：人民幣成為亞洲區域貿易的結算貨幣；在香港發行以人民幣計值的債券，培育開放式、區域性債券市場，使得人民幣具備儲備與投資的功能；透過債券市場的發展，拓展香港人民幣離岸市場的深度，擴大離岸人民幣資產類業務的經營範圍，推動人民幣在國際收支資本帳戶下的可兌換，使香港成為真正意義上的人民幣離岸金融中心，幫助人民幣國際化。

但上面這些建議多是從地域角度與貨幣職能的角度，或是以貨幣本位的角度來規劃人民幣國際化的路線圖。從地域角度實現國際化，應遵循逐漸從周邊化向區域化再向國際化這樣三步走的戰略。但從過程上，區域化可不僅局限於東亞地區，應放眼整個亞洲，以及很少被人提及的非洲地區。非洲地區現在已受到越來越多發達國家的重視，中國已與 48 個非洲國家建立了外交關係，且貿易額在逐年增長。人民幣應該加緊擴大在非洲地區的影響力，增加以人民幣跨境結算的地點，在非洲地區實現人民幣區域化。

從國際貨幣職能看，貨幣國際化的實現是有層次的，人民幣國際化也是一個「流通範圍從國內市場到國際市場」、「國際貨幣職能由低到高」逐步實現的漸進過程。對人民幣國際化現狀的分析表明，人民幣目前所能發揮的國際貨幣職能相當有限，而且多限於周邊國家，人民幣國際化還處於貨幣自由化的深入階段和貨幣區域化的初始階段。

而從貨幣本位的角度來看，人民幣要最終成為本位貨幣，必然經過幾場貨幣競爭，而其基本的路線便是從「美元－人民幣」，到「人民幣－美元」，再到「人民幣本位」這樣一個過程。

新的貨幣競爭

貨幣競爭問題是一個古老的話題，它伴隨著貨幣的產生而出現。貨幣競爭最初為貝殼、石頭、布匹等貨幣種類的競爭。當金屬貨幣以其良好的品質占據主導地位之後，貨幣競爭則表現為私人發行者之間的競爭，而這一競爭隨著政府對貨幣發行權的壟斷最終消失。貨幣競爭這一問題再次受到關注，源於第一次世界大戰後政府對紙幣的過度發行，造成的全球嚴重通貨膨脹。

第二次世界大戰後，布列頓森林體系直接促成了美元在國際貨幣競爭中霸主地位的形成，國際貨幣領域的競爭格局呈現出金字塔形，最上層是美元，中間是英鎊、德國馬克、法國法郎及日圓，廣大開發中國家的貨幣則位於最底層。

隨著布列頓森林體系的瓦解和歐元區的建立，歐元開始表現出與美元進行直接較量的趨勢，而日圓則仍然徘徊在國際化的邊緣，還遠不能同美元和歐元在同一個層面展開競爭。20 世紀 70 年代的美元氾濫，導致美元和黃金的澈底脫鉤及布列頓森林體系的瓦解。之後，法國、德國和日本的經濟實力迅速膨脹，猛烈衝擊著美元本位，但美元依然是世界上最主要的儲備貨幣、結算貨幣和外匯交易貨幣。

20 世紀 90 年代後期，世界上五分之四以上的外匯交易用美元進行，近一半的出口額以美元結算，各國官方儲備中，美元的比例從 1990 年的二分之一增加到 1999 年的三分之二。

目前，貨幣競爭使國際上的貨幣形成了一個金字塔的態勢，根據國外經濟學家的劃分，存在著七種貨幣等級：

1. 頂級貨幣（Top currencies）：即最主要的國際貨

幣，如第二次世界大戰前的英鎊和第二次世界大戰後的美元。

2. 高貴貨幣（Patrician currencies）：即在國際上廣受歡迎，但未取得支配地位的貨幣，如原德國馬克、歐元和日圓。

3. 傑出貨幣（Elite currencies）：即能勝任國際貨幣使用功能，卻不能在發行國以外發揮舉足輕重作用的貨幣，如現在的英鎊、荷蘭盾等。

4. 普通貨幣（Plebeian currencies）：即具有有限的國際使用範圍，但實際權威受到其他高層次貨幣挑戰的貨幣，如新加坡幣、澳幣等。

5. 被滲透貨幣（Permeated currencies），即在國內市場對外國貨幣做出實質性讓步的貨幣，在這樣的國家已經出現貨幣替代。

6. 準貨幣（Quasi currencies）：即不僅價值貯藏功能被替代，而且交易媒介和價值尺度的功能也被替代的貨幣。拉丁美洲國家和前蘇聯的貨幣就屬於這一類。

7. 偽貨幣（Pseudo currencies）：即只有法律地位，而無任何經濟作用，已被完全替代的貨幣。

其實，目前人民幣正在朝著這個金字塔的上端靠近，即從高貴貨幣向頂級貨幣邁進。

隨著東亞貨幣一體化序幕的拉開，貨幣競爭著重表現為區域內「法定貨幣」的競爭，做為區域內兩大關鍵貨幣的人民幣和日圓之間的競爭關係，自然成為不可忽視的一個問題。區域內國家貨幣一體化的過程，也會伴隨著區域內國家的貨幣競爭。通常來說，區域貨幣或者是由區域內最有實力的國家來發行，其他國家統一採用該國發行的貨幣；或者是區域統一發行新的貨幣，而這種貨幣與該區域內幾個國家發行的貨幣掛鉤。前者的典型例子是美元區，後者的典型例子是歐元區。不管是哪種形式，區域內貨幣合作的領導者總能得到比其他國家更多的貨幣合作收益。

貨幣競爭的基礎是各個經濟主體的理性選擇。哪種貨幣價值更穩定、交易成本更低、使用更方便，哪種貨幣就會在競爭中勝出。因此，貨幣競爭規則與商品市場競爭的規則一樣，體現了達爾文式的優勝劣敗法則。

從一般的意義上看，任何形式的貨幣競爭都必然導致貨幣替代，如第二次世界大戰後美元替代英鎊成為主要國際貨幣就是最典型的例子。從特定的意義上來看，貨幣替代是指這樣一種情況：本國居民對本幣的幣值穩定喪失信心，或本幣資產收益率相對較低時發生大規模貨幣兌換，從而外幣在貨幣職能方面全部或部分地替代本幣。

人民幣區域化是人民幣參與貨幣競爭，並試圖在區域內替代其他貨幣的過程。鑑於目前人民幣在區域貨幣競爭中的地位，保持對人民幣區域化的清醒認識與謹慎樂觀的態度是非常必要的。

最重要的是，人民幣區域化戰略必須與國內進一步的改革和開放相配合。中國要取得人民幣在區域貨幣競爭中的最後勝利，就必須不斷增強自己的經濟實力，縮小與美、日、歐之間的差距，同時加快發展金融市場，開發各種人民幣金融工具，並提高市場的流動性。中央銀行還需要提高控制與管理貨幣的能力，積累經驗，為人民幣完全的自由兌換和人民幣在區域貨幣競爭中取勝創造必要條件。

可以預見，在實現國際化的路途中，人民幣除了要與日圓爭奪區域發言權之外，還將與美元、歐元等現存的國際貨幣一較高下，因此貨幣競爭是不可避免的過程，只是競爭的對象、範圍、內容在每個時期的表現不同而已。這可以稱作「新的貨幣戰爭」，因為歷史上從未有過一個開發中國家的貨幣在國際貨幣體系中與已開發國家的貨幣同台競技，新一輪的國際貨幣洗牌已經開始，勝負未來自有定論。

人民幣國際化的推進策略

經濟實力決定了貨幣實力，從根本上來說，貨幣國際化是市場選擇的結果。但是在人民幣國際化的過程中，政府的作用也不容忽視，國家應從戰略高度考慮各項策略，穩定推進人民幣的國際化過程。

首先，應該採取穩健的原則和中性的立場，順應市場的發展和要求，只做不說，韜光養晦。如果大張旗鼓地推進，可能會招致不必要的麻煩。比如，經濟的崛起使「中國威脅論」再次甚囂塵上，人民幣國際化很容易被一些人扣上「貨幣殖民」的帽子；人民幣國際化意味著更大的國際責任，在當前全球經濟失衡的背景中，其他國家會以此為藉口，過分要求中國承擔調節責任，向中國轉嫁風險。在 20 世紀 80 年代日本推動日圓國際化時，美國就利用日、美兩國的「日圓—美元委員會會議」，要求日本開放金融市場。

其次，人民幣國際化要立足於亞洲。走向亞洲才能走向世界，因此人民幣國際化要堅持從區域貨幣到國際貨幣的途徑。要以東協和中、日、韓「10+3」為背景，提高人民幣在東亞的影響力，積極穩妥參與亞洲貨幣合作，逐步提高人民幣在區域貿易中的占比，並逐步滲透到區域投資等領域。要開闢管道，建立機制，在可控的基礎上滿足一些東亞國家將人民幣做為儲備資產的需要，占領貨幣國際化的制高點。可以利用香港的特殊地位和港幣的中立優勢，試驗推進人民幣國際化。推進人民幣國際化時，還要注意「小美元」的負面影響。過去，人民幣盯緊美元，維護了人民幣幣值的穩定，素有「小美元」之稱。這在人民幣國際化起步階段有積極作用，但從長遠來看，由於需要對外匯市場頻繁干預，人民幣或多或少依附於美元，缺乏獨立性，「小美元」形象反而會限制人民幣國際化的空間。日圓國際化受阻就是一個很好的例子。

第三，人民幣國際化要消除不必要的、過時的外匯管制。可兌換是貨幣國際化的基礎，其中經常帳戶可兌換是必要條件。可兌換程度越高，資本管制越鬆，貨幣國際化才可能走得越遠。其實，放鬆資本管制，不是單純為了人民幣國際化，而是經濟發展的內在要求。經濟持續快速增長，綜合國力（特別是對外經濟實力）明顯提高，宏觀調控能力增強，提高了中國所能承受的資本帳戶可兌換程度，也提供了一個推出相關改革的有利時機。放鬆資本管制也是中國崛起的需要。因此，要選擇合適的機遇使人民幣大致實現可兌換，為人民幣進一步國際化打下堅實基礎。

4
人民幣試跑「國際賽道」已多年

人民幣參與「國際賽道」的比賽在它誕生後就開始了。60 年來，人民幣在「國際賽道」上奮勇拚搏，一路追趕，特別是在亞洲金融危機、全球金融危機這些艱難的「賽程」中，秉承了「絕不貶值」的精神，贏得了一片讚譽。

但是，人民幣發現，在這條競爭激烈的「賽道」上，單純靠毅力和堅持已經不夠，技術與技巧的運用是使自己躋身領先集團，並有機會成為主導貨幣的重要保障。

走出國境的人民幣

早些年中國人出國旅遊，最頭痛的或許就是貨幣兌換問題了。如果在異國的街道上能夠隨手抽出一張人民幣花掉，該是一件令中國遊客倍感方便又「頗有面子」的事吧。而如今，這已不再是中國遊客們只能想想的事了，他們到周邊國家和地區旅遊已經大致能夠享受到這樣的待遇。這也是多年來許多中國人到鄰近國家旅遊、投資，促進了人民幣境外流通的結果。

由於中國經濟的發展，人民幣的境外流通日益普遍，特別是在周邊國家和地區的流通出現了一定程度的區域化態勢。改革開放以來，中國政府對於人民幣跨境流動管理的日漸寬鬆，是人民幣能夠進行境外流通的關鍵。

政策寬鬆導致人民幣流通量激增

1951 年，中國頒布了「中華人民共和國禁止國家貨幣出入國境辦法」，規定禁止國家貨幣出入國境，凡攜帶或私運國家貨幣出入國境者，一律沒收。

自 20 世紀 80 年代開始，由於經濟發展的需要，政府對人民幣的跨境流動採取了較為寬鬆的政策。從

1987年開始，中國政府允許人民幣現鈔出入境，這就從法律上認可了人民幣出入境的合法性。1987年公民攜帶人民幣出入境限額調整為200元。1990年，北京舉辦亞運會，中國政府將攜帶人民幣出入境的限額暫調整為2,000元，但此規定在亞運會結束後即取消。

1993年，「中華人民共和國國家貨幣出入境管理辦法」公布，規定對貨幣出入境實行限額管理制度，具體限額由中國人民銀行制定，同年中國人民銀行將人民幣出入境限額調整到每人每次6,000元。2004年12月2日，中國公民出入境、外國人入出境每人每次攜帶的人民幣限額，由原來的6,000元調整為20,000元。

由於可攜帶人民幣現鈔出入境數額的日漸增大，使得滯留在境外的人民幣數量逐漸增加。有研究者對1993～2003年10年間的人民幣輸出數量進行估計，指出：在綜合考慮各種因素後，到2003年人民幣累計輸出總額應達到2,000億元。中國人民銀行的調查結果表明，2004年年底，人民幣現金在周邊接壤國家和港澳地區的滯留量約為216億元；全年人民幣現金跨境流出入的總流量為7,713億元，淨流出量為99億元。據中國國家外匯管理局研究人員調查估計，在周邊國家和地區，人民幣每年跨境的流量大約有1,000億元，在境外的存量大約是 200 億元，2007 年和 2008 年還有上升的趨勢。

中國國力增長是關鍵

就像前面說過的，現在周邊國家和地區的政府為了增加旅遊收入和促進邊境貿易，對人民幣在其境內的流通通常採取默認的態度。緬甸、柬埔寨、尼泊爾等國政府更是曾公開宣稱歡迎人民幣在本國市場上正式流通。還有多個國家和地區允許人民幣銀行卡在其境內使用。

實際上，人民幣開始大規模地在境外流通並不是偶然的，這是一個隨著中國經濟發展而來的水到渠成之過程。

改革開放以來，中國政局穩定，綜合國力不斷增強，人民幣幣值穩中有升，匯率風險較小，這些條件都對維持人民幣的良好形象產生了重要的作用。周邊國家和地區的居民普遍願意接受人民幣，將人民幣做為保障資產增值、保值的工具。特別是 1997 年亞洲金融危機後，中國周邊多個國家和地區的貨幣都出現了較大幅度的貶值，而人民幣不但沒有貶值，還因多年國際收支順差而略有升值。可以說，人民幣地位穩固是人民幣在境外出現和廣泛流通的根本原因。

近 30 年來，中國與周邊國家和地區的貿易往來頻繁。由於人民幣的影響力日益增強，現在中國與周邊國家和地區的貿易大部分採用人民幣做為結算貨幣，對中國具有貿易順差的國家和地區將獲得人民幣淨流入。調查表明，在越南、泰國、緬甸、柬埔寨、朝鮮、蒙古、俄羅斯、巴基斯坦、尼泊爾等國家，人民幣做為支付和結算貨幣已被普遍接受。

另一方面，中國經濟的快速發展使國內居民收入有了大幅提升，人們現在有能力跨國旅遊、消費，這也為擴大人民幣的使用範圍和影響力有著積極作用。據世界旅遊組織估計，到 2015 年，中國將成為世界第四大旅遊國，每年輸出遊客將達 1 億人次。而截至目前，已有 130 多個國家開放成為中國公民出境旅遊目的地，其中允許中國公民自由行的國家有 20 多個。據中國國家旅遊局提供的最新旅遊經濟運行數據顯示，2009 年 1 月至 4 月，外國人到中國內地旅遊的人數累計為 673.9 萬人次，同比下降 21.82%。而同一時期，中國公民出境旅遊人數則為 1587.5 萬人次，比上年同期增長 4.64%。2008 年全年，中國出境人數近 4,600 萬人次，比 2007 年增長近 12%。目前中國大陸已成為東南亞國家旅遊業最重要的客源地。

同時，由於中國經濟發展的需要，國家鼓勵越來越多的中國企業走出國門，到其他國家和地區進行投資，而這些境外投資中很大一部分，都集中在中國周邊國家和地區，再加上人民幣在這些國家和地區中的認同度高，所以這種直接投資往往直接用人民幣做為交易貨幣，這部分做為直接投資的人民幣資金也成為境外流通人民幣的重要組成部分。

人民幣供不應求

事實上，上述的正規管道還不能完全滿足周邊國家一些人對人民幣的需求，出於各種動機，非法兌換人民幣的市場也顯得非常活躍。

周邊國家和地區有不少「地攤銀行」、地下匯兌等非正式金融組織開辦人民幣兌換和地下匯兌等業務，將人民幣做為一種特殊商品進行買賣，為人民幣在當地的流通使用提供了市場安排。所謂的「地攤銀行」是人們對中越、中緬等國邊境地區民間貨幣兌換機構的戲稱。它是中越、中緬邊境一帶進行貨幣兌換的經營者自發形成的一個鬆散組織，主要以經營貨幣兌換為主，兼營異地匯兌和部分借貸業務。由於這種「銀行」屬於非官方性質且大多設在地攤上，所以當地人都稱其為「地攤銀行」。早在 2002 年，越南官方已開始給中越邊境的「地攤銀行」發執照，使其走向合法化。目前，在中越邊境的「地攤銀行」約有 600 多家，每家周轉人民幣現金均在 100 萬元以上，在邊貿結算和人民幣匯率形成中發揮著舉足輕重的作用。

但是，由於人民幣目前尚未實現資本帳戶下的可自由兌換，因此也存在透過非法手段致使人民幣資金大規模外流的現象。這些外流的資金主要用來從事走私、販毒、賭博、洗錢等違法活動，一般循地下錢莊、公司轉帳和隨身攜帶三種管道。地下錢莊的存在在中國東南沿海地區已經是公開的祕密，每天往來境內外資金都以千萬計，客戶在境內將本、外幣交給地下錢莊，在境外即可提取外匯或人民幣。公司轉帳方式主要是以經常帳戶下的對外貿易名義呈現，經手的公司只需在進、出口時採取多報或少報的方式，就可以將大筆資金轉到國外。其他還有與毒品交易和「地攤銀行」相配合的非法流通方式。

目前，香港已成為人民幣流向周邊國家或地區的一個集散地。據調查，香港貿易中有一種「貴重物品」的海外運輸（含各種貨幣的運輸），透過這種形式，估計有相當多的人民幣被「託運」到周邊國家或地區。

人民幣從周邊國家或地區回流到中國大致有這樣幾個管道：一是透過邊境貿易順差回流境內；二是透過銀行系統流回境內，如境外居民直接在中國口岸銀行存入人民幣，外方銀行將境外吸收的人民幣存款轉移到中國境內銀行；三是境外居民以人民幣在境內投資、置業、購房等；四是境外居民因探親、旅遊等等攜帶人民幣入境；五是貨幣走私。

總之，人民幣境外流通的形式已多元化，途徑有合法的有非法的。非法途徑之所以存在，是因為邊境有大量的人民幣需求，這也另類地反映出人民幣區域化的潛在力量。在數量上，人民幣在周邊國家和地區的流通量已初具規模；在人民幣跨境流通的機制上，自 2008 年以來也開始出現了重大的轉機（將在下一節闡述）。即便如此，我們還必須看到，人民幣境外流通的數量相對於我們的貨幣發行量（M2）來說，只占不到 2%，人民幣在一定程度上的區域化也只是其國際化的起始點。

人民幣「影子」長短不同

可以說，東亞的每個國家都留有人民幣的影子，但是情況又各有不同。這就像人與人之間關係的親疏遠近，如水中漣漪由中心向四周擴散。在地理位置上越靠近中國的東亞國家，與中國大陸的經濟聯繫越緊密，人民幣的使用越是頻繁;反之，人民幣的使用數量則越少。

在東南亞地區，人民幣已成為僅次於美元、歐元和日圓的「強勢貨幣」。在西南地區，人民幣在寮國東北三省可完全替代本幣在境內流通，最遠能夠深入到寮國首都永珍市。人民幣在越南已實現全境流通，越南國家銀行已開展人民幣儲蓄業務。在西北地區，人民幣主要是在中亞五國、俄羅斯地區和巴基斯坦流通，跨境流通量較大的是哈薩克斯坦，流通量大約有人民幣 10 多億。在東北地區，人民幣跨境流通到俄羅斯和朝鮮以及蒙古。蒙古的各個銀行都開展了人民幣儲蓄業務。在與蒙古的邊境貿易中，人民幣現金交易量已經超過雙邊全部貿易量的三分之一。人民幣跨境流通量最大的是中國香港特區，在香港人民幣可透過多種途逕自由兌換，並被用作儲備貨幣。大致地歸納一下，有人民幣流通的周邊國家和地區，按照人民幣被接受的程度可以分為三種類型。

第一類：雙方經濟聯繫密切型

這類是指中國的香港和澳門地區。港、澳與內地的經濟聯繫十分密切，使用人民幣相當普遍。

內地去港、澳旅遊過的人都能注意到，港、澳地區很多賓館、商場都報出人民幣與港幣的匯率，並可直接以人民幣消費。由於港幣與美元可以隨時兌換，所以實際上在這裡人民幣也可以隨時兌換美元。目前香港已有100多家貨幣兌換店和30多家銀行開辦了人民幣兌換業務，人民幣與港幣的兌換在港、澳地區已相當便利。中國人民銀行自2004年2月25日進一步開放的香港人民幣業務，再次擴大人民幣現鈔兌換港幣的範圍和限額，並允許香港居民個人用人民幣支票，在每個帳戶每天人民幣8萬元的限額內，支付在廣東省的消費支出(不得轉讓)。在港、澳地區，人民幣成為僅次於港幣的流通貨幣。2004年人民幣現金流出到港、澳地區的數量約為3,798億元，回流到內地的約3,724億元，流出入總量約為7,522億元，占人民幣現金跨境流出入總量的97.5%。

香港金融機構早就開始辦理部分人民幣業務，如人民幣的兌換業務、人民幣銀行卡業務、半地下的香港與內地的人民幣的匯款業務等。2003年，內地與香港簽署了「更緊密的經濟與貿易關係的安排」(CEPA)，兩地的經貿關係進一步發展。同年11月，中國人民銀行發布第十六號公告，宣布為在香港辦理人民幣存款、兌換、匯款和銀行卡業務的銀行提供清算服務。2004 年 1 月 18 日內地銀行卡獲准在香港使用，人民幣業務更是迅速發展，使得香港的人民幣流通量占據了整個境外人民幣流通量的絕大部分。

在簽署 CEPA 的 6 年以後，2009 年 6 月 29 日中國人民銀行行長周小川與香港金融管理局總裁任志剛簽訂合作備忘錄，香港企業可與上海、廣州、深圳、珠海和東莞等五個地方的試點企業以人民幣進行貿易結算。任志剛解釋說，如果香港入口商到內地採購，人民幣不足時，就可向銀行借，中國人民銀行與香港金融管理局早前簽了貨幣互換安排，有需要時可以動用。「這就等於人民幣貿易融資了。」至於香港當前只有人民幣 500 多億元，任志剛對此也不太擔心，因為內地入口商來香港採購時可用人民幣在香港或內地付款，那將令香港的人民幣存有量增加。

第二類：對中國經濟依存型

這類國家有緬甸、越南、寮國、柬埔寨、朝鮮、蒙古、俄羅斯、巴基斯坦、尼泊爾等。這些國家因在經濟上對中國的依存度較大，在邊境貿易中已普遍使用人民幣，甚至在一些國家人民幣已全境流通。

在越南，人民幣幾乎是最受歡迎的外幣。廣西是中國唯一一個與越南海陸接壤的省區，其憑祥、東興兩市分別與越南的諒山、芒街相鄰。以廣西最大的邊境城市憑祥為例，2008 年憑祥國際貿易額 17 億美元，邊境貿易額 81 億美元。這 81 億美元的邊境貿易額中，近六成採用人民幣結算。在越南首都河內，市中心的河邊有許多越南人在那裡專門從事人民幣兌換，但人民幣流通主要在越南北部省分，特別是邊境地區，南方地區則較少。廣西與越南的邊境小額貿易 2002 年達到 3.45 億美元；2003 年增長了 55.2%，達到 5.35 億美元，占當年廣西對外貿易總額的 17%，而其中 90%以上能透過邊境貿易人民幣帳戶採用銀行匯票、邊境貿易結算專用憑證等方式結算。

在緬甸和寮國的北部，人民幣是主要的交易貨幣，可以用來在邊境兩邊進行任何交易或購買任何物品。在泰國北部的清邁機場，人民幣可以自由兌換。

2002 年 3 月，東埔寨首相洪森稱人民幣被公認為亞洲地區最穩定的貨幣，號召國民多加使用人民幣。洪森說，人民幣已經開始在東埔寨的黑市上流通，如果黑市已經完全接受人民幣，為什麼我們不讓它正式流通呢？

在朝鮮，人民幣更被稱為「第二美元」。在朝鮮幾乎所有的邊境城市甚至全境，人民幣成為人們結算貨款、進行商品交易、當作強勢貨幣儲備的貨幣之一，商店內陳列的商品也分別以朝鮮元、人民幣和歐元標價。

在蒙古，邊境流通的貨幣中 80%～ 90%是人民幣，即使在蒙古全境，流通的貨幣中也有 50%是人民幣。

在俄羅斯，隨著中俄兩國「關於邊境地區銀行間貿易結算協議」的實施，自 2003 年 1 月 1 日起，人民幣在最長邊境線上取代美元進行貿易結算。依據該協議，此類結算和付款可由位於俄羅斯邊境地區（阿爾泰共和國、濱海邊疆區、哈巴羅夫斯克邊疆區、阿穆爾州、赤塔州、猶太自治州）的俄羅斯銀行（分行）和位於中國邊境地區（黑龍江、內蒙古、新疆、吉林）中國方面的銀行來進行。在中國與俄羅斯遠東地區的邊境貿易中，黑河市具有代表意義。黑河市的四家國有商業銀行與俄羅斯的 11 家商業銀行建立了帳戶代理銀行關係，其中中國銀行黑河分行、中國農業銀行黑河分行，分別與俄羅斯布拉戈維申斯克市的遠東外貿銀行、俄羅斯遠東互貸銀行布拉戈維申斯克市分行，簽訂了人民幣與盧布邊境貿易本幣結算帳戶協議。

到 2004 年，中國已與越南、蒙古、朝鮮、俄羅斯、寮國、尼泊爾等國家簽訂了雙邊結算與合作協議。2004 年人民幣在中越邊境貿易中的結算量占比為 81%，在中蒙邊境貿易中的結算量占比約為 90%，在中朝邊境貿易中的結算量占比約為 15%，成為這些國家邊境貿易結算中的主要貨幣。此外，目前在部分邊境地區還出現了用人民幣計價的民間直接投資活動。

第三類：旅遊業帶動型

這類國家有新加坡、馬來西亞、泰國、韓國等。在這些國家，人民幣的流通使用主要是伴隨旅遊業的興起而發展起來的。大批的中國遊客到這些國家旅遊、購物，催生了人民幣兌換店和銀行的人民幣業務。這些國家的旅遊購物商場、酒店、賓館等大都公布人民幣與本地貨幣的比價，大部分的商業銀行都辦理人民幣與本地貨幣的兌換業務。隨著 2005 年 1 月 10 日中國銀聯正式開通「銀聯卡」在韓國、泰國、新加坡的受理業務，持卡人在上述國家購物消費、支取一定限額的本國貨幣更加便利。

世界最大自由貿易區——人民幣的新舞台

2009 年 8 月 15 日，第八次「中國—東協經貿部長會議」在泰國曼谷舉行，雙方簽署了「中國—東協自由貿易區投資協議」，這標誌著「中國—東協自由貿易區」的主要談判已經完成，意味著自 2010 年 1 月 1 日起，中國和東協雙方將開始對 7,000 多種商品實行零關稅。一個覆蓋 1,300 萬平方公里面積、擁有 19 億人口的消費群體和 6 兆美元 GDP 總值的跨國市場將呈現在世人面前。僅從經濟規模看，「中國—東協自由貿易區」建成之後，將超越歐盟和北美自由貿易區，成為由開發中國家組成的世界上最大的自由貿易區。

目前世界上有三大自由貿易區，除了「中國—東協自由貿易區」外，還有歐盟和北美自由貿易區。歐盟是根據 1992 年簽署的「歐洲聯盟條約」所建立的國際組織，現擁有 27 個會員國，它是世界上第一大經濟實體。北美自由貿易區由美國、加拿大和墨西哥三國組成，三國於 1992 年 8 月 12 日就「北美自由貿易協定」達成一致意見，並於同年 12 月 17 日由三國領導人分別在各自國家正式簽署該協定。與歐盟性質不一樣，北美自由貿易協議不是凌駕於成員國家政府和法律之上的一項協議。

簽署「中國—東協自由貿易區協定」是中國參與制度性區域一體化的一項成功舉措，也是中國加入世界貿易組織後對外經濟戰略上的重大突破，對中國經濟發展及人民幣國際化步伐的加快和路線創新具有重要的意義。透過自由貿易區，可以強化地區經貿合作，有利於區域經濟和金融的穩定，更有利於人民幣區域化。對於中國來說，力促中國與東協區域的經貿合作既有地緣經濟意義，也有戰略上的考量。自 20 世紀 90 年代中期以來，中國與東協的安全合作和經貿往來越來越密切，雙方的和平共處對實現區域的和平、穩定和繁榮有著舉足輕重的作用。

截至 2008 年年底，東協對華投資累計達 520 億美元。中國則積極實施「走出去」戰略，對東協的投資也出現了快速增長態勢。2008 年，中國對東協直接投資達 21.8 億美元，比上年增長 125%。同時，越來越多的中國企業把東協國家做為主要的投資目的地。

經過這些年的風風雨雨，越來越多的亞洲國家認識到，各國要實現雙贏和多贏需要密切合作。區域合作將為區內國家，特別是弱小國家，提供平等的投資和貿易機會，增強它們抵禦風險的能力。經濟弱小國家可透過區域合作，從區域內經濟較強國引入技術和資金，以逐步縮小區域內的貧富差距，促進區域一體化過程。

自由貿易區將促進區域穩定，有利各方共同發展，同時也為區域貨幣的發展提供了實體經濟基礎。依全球金融發展趨勢及歐洲貨幣一體化的歷程來看，泛亞洲自由貿易區成型後，區域性統一貨幣的時代就不遠了，而那將是人民幣區域化的更大舞台。

央行頻簽貨幣互換協議

2008 年以來，由於美國次貸危機引發的金融海嘯不斷擴大發展，國際金融市場劇烈動盪，全球流動性驟失。為穩定全球金融市場、提供流動性支持、恢復投資者信心，主要國家中央銀行間紛紛簽訂雙邊貨幣互換協議。以美國聯準會為例，與其簽訂雙邊貨幣互換協議的國家不斷增加，已簽協議的金額不斷提高。在這期間，美國聯準會之外的其他主要發達國家間雙邊貨幣互換協議也大幅增加。自 2008 年年底以來，中國參與區域貨幣合作的相關報導也頻繁見諸於各大媒體。一時間，合縱連橫，全球金融界一片忙碌。

貨幣互換的歷史

貨幣互換，簡單講就是「我借給你用，你借給我用」。最初此類協議主要是用於商業機構之間，目的在於降低各自的融資成本、鎖定各自的匯率風險。近年來，各國央行開始將貨幣互換用於區域金融合作，以加強金融穩定性。在金融危機到來時，貨幣互換協議在金額和數量上的增加，主要目的是為了提供流動性，規避匯率風險，穩定國際金融市場，保護貿易的平穩進行。當貨幣互換協議被兩國（或地區）中央銀行簽訂時，表示兩國（或地區）承諾一定的貨幣互換額度，透過互換，相互提供短期流動性支持，為本國（或地區）商業銀行在對方分支機構提供融資便利，展現了雙方加強合作、共同應對危機的意願，並以此增強市場信心，促進地區金融穩定。

世界上第一份商業性貨幣互換合約出現在 1981 年，交易的雙方為世界銀行和 IBM 公司，撮合這筆交易的是所羅門兄弟公司。但是在商業性貨幣互換協議出現之前，國家之間的貨幣互換協議早就存在。美國聯準會早在 1962 年 5 月就和法國央行簽訂了第一個雙邊互換協議，到 1967 年 5 月底，美國聯準會已和 14 家中央銀行和國際清算銀行簽訂了貨幣互換協議。到 20 世紀 90 年代中期，美國聯準會對外簽訂的貨幣互換協議金額超過 300 億美元。但是，國家之間簽署的貨幣互換協議並非出於降低融資成本的目的，而是出於穩定外匯市場、在異常情況下提供流動性便利等方面的考慮。「911」

事件後，為防止金融市場出現動盪，美國聯準會緊急與歐洲央行、英格蘭銀行和加拿大央行簽訂臨時性貨幣互換協議。2008 年由美國次貸危機引起的金融危機爆發以來，美國聯準會與他國央行簽訂貨幣互換協議的頻率和金額之高都前所未有，甚至個別協議已取消限額，足見美國聯準會已經把雙邊貨幣互換協議做為提供流動性支持、化解金融危機、提振市場信心一項非常重要的政策工具。

令我們記憶猶新的 1997 年亞洲金融危機，對亞洲地區國家造成了不同程度的損害，使各方深刻認識到維護區域金融穩定的重要性。另一方面，國際金融機構對危機的救助不盡如人意，使亞洲地區各國開始探討如何利用自身力量促進本地區金融穩定。因此，東協十國和中、日、韓三國在 1997 年舉辦了首次東協和中、日、韓「10+3」領導人會議，之後又形成「10+3」財長會議等機制。2000 年在泰國清邁舉行的「10+3」財長會議上，各方一致通過了關於建立貨幣互換協議網路的「清邁倡議」，決定擴大東協原有貨幣互換網路的資金規模，並號召東協國家及中、日、韓三國在自願的基礎上，根據共同達成的基本原則建立雙邊貨幣互換協議，以便在一國發生外匯流動性短缺或出現國際收支問題時，由其他成員集體提供應急外匯資金，以穩定地區金融市場。

中國參與貨幣互換

中國參與簽訂的貨幣互換協議基本都是在「清邁倡議》基礎上擴展而成。2006 年 5 月，第三輪「清邁倡議」擴展完成，簽署了總額為 750 億美元的 18 個雙邊互換協議，其中中國簽訂了 5 個。2007 年 5 月，第十屆「10+3」財長會議上各方對推進「清邁倡議」多邊化達成共識，形成一項共同協議，根據該協議各國將分別向共同外匯存底基金投入資金，以便在某個成員面臨困難時幫助其緩解危機。

「清邁倡議」下的貨幣互換安排，需要執行國際貨幣基金組織的援助計畫及改革要求，只能算是對國際貨幣基金組織援助的一種補充，相比之下，共同外匯存底基金則在很大程度上克服了這一局限，意味著東亞地區自主互助機制的大大強化。2008 年 5 月，各國共同宣布同意為籌建中的共同外匯存底基金出資至少 800 億美元，其中中、日、韓三國共分擔 80%，其餘 20% 由東協國家負擔。2008 年 12 月，東協祕書長表示，針對當前國際金融危機帶來的動盪形勢，「10+3」財長會議正討論將籌建中的共同外匯存底基金規模從 800 億美元擴大至1200億美元。

2008年12月12日，中國人民銀行和韓國銀行宣布簽署雙邊貨幣互換協議，互換規模為人民幣1,800億元對38兆韓元，雙方同意探討將互換貨幣兌換成儲備貨幣的可能性及比例。該協議實施有效期為3年，經雙方同意可以展期。簽署該協議的目的是，向兩個基本面和運行情況良好的經濟體之金融體系提供短期流動性支持，並推動雙邊貿易發展。這是人民幣首次以官方身分走出國門（此前與韓國的互換都是韓元換美元）。

2009年1月20日，中國人民銀行宣布，為促進地區金融穩定，已與香港金融管理局簽署貨幣互換協議，該貨幣互換協議所提供的流動性支持規模為人民幣2,000億元對2,270億港元。

2009年2月8日，中國人民銀行宣布，為了推動雙邊貿易及投資、促進兩國經濟增長，已與馬來西亞國民銀行簽署雙邊貨幣互換協議，互換規模為人民幣800億元對400億令吉。協議有效期3年，經雙方同意可以展期。這與之前中國人民銀行與韓國和香港簽署貨幣互換協議時的表述有所不同，這次有關金融穩定的表述幾乎完全被淡化了。此次貨幣互換協議可以被視作與東協貨物貿易結算試點「有著緊密聯繫的一項舉措」。官方資料顯示，馬來西亞目前已是中國內地在東協國家中最大的貿易夥伴，去年的雙邊貿易額為 534.7 億美元。與雙邊貿易額比較起來，此次貨幣互換協議規模並不小。

2009 年 3 月 11 日，中國人民銀行在其官方網站刊登公告稱：「中國人民銀行和白俄羅斯共和國國家銀行宣布簽署雙邊貨幣互換協議，目的是透過推動雙邊貿易及投資促進兩國經濟增長。該協議互換規模為人民幣 200 億元對 8 兆白俄羅斯盧布。協議實施有效期 3 年，經雙方同意可以展期。」

自 2008 年年底以來央行簽署的貨幣互換協議

日　期	貨幣互換對象及互換規模（人民幣）
2008年12月12日	韓國　1800億元
2009年1月20日	香港金融管理局　2000億元
2009年2月8日	馬來西亞　800億元
2009年3月11日	白俄羅斯　200億元
2009年3月24日	印度尼西亞　1000億元
2009年3月29日	阿根廷　700億元

經濟嚴冬中世界各國透過貨幣互換「取暖」

歷史上，金融危機下進行貨幣互換的情況並不罕見，在當前嚴重的經濟危機中，世界許多國家更是呈現出一片「取暖」景象，因此中國人民銀行與周邊區域簽署貨幣互換協議的舉措容易理解。但是此次中國互換金額之巨大、互換次數之頻繁、互換貨幣以本幣為主，卻是頗為引人注目的。

我們不難發現，在與中國簽訂互換協議的幾個國家之中，韓國是自 2008 年下半年以來韓圜就不斷大幅度貶值，同時股市大跌。白俄羅斯的情況更是不妙，根據中國商務部的最新統計，截至 2009 年 1 月，白俄羅斯的國家外債已經再次刷新紀錄，達到 43.1 億美元。僅有約 1,000 萬人口的白俄羅斯對西方出口較少，這個數字的外債足以構成可導致白俄羅斯「國家破產」的風險。面對日益萎縮的出口，面對日益嚴峻的國內經濟形勢，透過簽訂貨幣互換協議使雙方擺脫困境，這是個不錯的選擇。

毋庸置疑，雙邊貨幣互換國家的擴大以及協議金額的提高，為推動人民幣的國際化創造了機會。之前，中國央行與其他國家央行簽訂的雙邊貨幣互換協議中，與泰國、馬來西亞和印尼簽訂的是以美元對外幣的形式實現貨幣互換，與日本、菲律賓和韓國簽訂的是以人民幣對外幣的形式實現貨幣互換。今後中國簽訂的雙邊貨幣互換協議都應確定以人民幣對外幣的形式實現貨幣互換，如此才能促進人民幣影響力的不斷擴大。

人民幣與主要國家貨幣匯率變化情況

人民幣匯率回顧

人民幣匯率的變化經歷了一個從幅度較大的漸進式貶值過程到緩慢升值的過程，而這兩個過程的轉捩點就是 1994 年施行的匯率改革制度。

1993 年 12 月 28 日，中國人民銀行發布「關於進一步改革外匯管理體制的公告」，規定自 1994 年 1 月 1 日起進行匯率改革，實行人民幣匯率並軌，宣布施行以市場供求為基礎的、單一的、有管理的浮動匯率制度。1997 年以前，人民幣匯率穩中有升，但此後由於亞洲金融危機爆發，為防止亞洲周邊國家和地區貨幣輪番貶值使危機深化，中國人民銀行主動縮小了人民幣匯率浮動區間。自 1997 年後，人民幣匯率大致穩定在與美元保持 1 ： 8.27 匯率的水準。然而 1999 年，國際貨幣基金組織卻根據匯率的實際表現（浮動範圍小於 1%），將中國的匯率制度歸為單一貨幣的固定匯率制。

2005 年 7 月 21 日起，「中國人民銀行關於改善人民幣匯率形成機制改革的公告」出爐，中國政府宣布重新實行以市場供求為基礎、參考一籃子貨幣進行調節、有管理的浮動匯率制，自此形成了更富彈性的人民幣匯率機制，從形式上看，這種匯率制度屬於浮動匯率制度，它增加了美元以及其他非美元貨幣匯率的浮動幅度。但由於在中國的對外貿易中對美貿易所占的比重最大，因此，儘管形式上是參考一籃子貨幣，不再單一盯住美元，但實際上是「以參考美元為主的準固定匯率制度」，更接近於固定匯率制度。

自那時至2009年以來的4年間，外匯市場上的避險工具越來越多，交易方式更加靈活，匯率變動更加富有彈性。但是，從這幾年人民幣匯率的表現看，美元在這一貨幣籃子中占據絕對優勢，人民幣保持了對美元單邊升值的趨勢。這是因為中國在全球產業鏈中的地位，決定了中國必然會積累大量貿易順差，這些貿易順差在當前的匯率形成機制下，必然會轉化為人民幣升值的現實壓力，並透過資本帳戶下的資本流動進一步加大這種壓力。

2008年最後一個交易日，人民幣對美元的匯率以6.8346開盤，全年升值6.88%，基本與2007年6.90%的升幅持平。這一結果令市場大跌眼鏡，因為2008年年初普遍預測人民幣升值幅度會大大超過10%。儘管如此，人民幣依然是2008年少數對美元升值的貨幣。

與往年的節奏不同，2008年人民幣對美元匯率的升值是先快後慢，直至回穩。第一季度，人民幣對美元升值4.16%;4月10日,人民幣對美元匯率首次跌破「7」的整數大關;上半年,人民幣對美元升值6.50%。8月北京奧運會前夕,人民幣對美元匯率大致穩定,呈雙邊振蕩狀態。9月23日,匯率中間價一度探底至6.8009。這種升值節奏的變化打破了升值預期慣性,解決了一直困擾匯率改革的升值預期難題,對引導、改變市場預期產生了積極作用。

美元匯率的變化

1973年,布列頓森林體系的崩潰是國際經濟、金融歷史上的重要分水嶺。此後,國際貨幣金融體系陷入渾沌的狀態,各主要貨幣匯率波動頻繁,國際收支不平衡加劇。1976年召開的牙買加會議不得不承認了浮動匯率這一事實,這標誌著國際貨幣體制進入了牙買加體系的新階段。

1980年,美元名義有效匯率比1975年貶值10.4%,實際有效匯率貶值13.5%。其間,美國實行寬鬆的貨幣政策,美國和全球貨幣供應量急速增長,觸發石油、黃金等貴金屬、基礎原物料價格飛漲,世界經濟陷入停滯性通膨。石油美元滾滾流入拉丁美洲國家,對外借債導致拉丁美洲債務危機,危機波及墨西哥、巴西、阿根廷等國。

1979年開始，聯邦基金利率大幅度提高，到1981年達到前所未有的16%，美元也結束近10年的持續弱勢，開始逆轉為強勢美元週期。1981年美元名義和實際有效匯率比上年均升值10%，此後逐年上升，到1985年，美元名義有效匯率和實際有效匯率分別比1980年升值44%和36%。其間，供給學派（Supply-side economics）所倡導的減稅政策，刺激了美國經濟強勁增長。同時，政府急劇增加的軍事開支，造成美國的鉅額經常帳戶赤字和財政赤字。伴隨著鉅額「雙赤字」的美元升值是這一時期的重要特徵。

1985年9月，五國集團簽署的「廣場協議」（Plaza Accord）要求「其他主要貨幣相對美元進一步有序升值」。「廣場協議」之後，美國聯準會透過公開市場操作，多次直接干預外匯市場，拋售美元，買入日圓和馬克。1986年，美元名義和實際有效匯率分別比1985年大幅度貶值17.5%和17.3%。自此，美元進入了新一輪的貶值週期。到1995年，美元名義有效匯率比1985年貶值36%，實際有效匯率貶值幅度更達到43%。

1996年美元再次進入升值週期。當年，美元名義有效匯率和實際有效匯率分別比1995年升值4%和

2%，此後開始加速升值，到 2002 年，美元名義有效匯率比 1995 年大幅度升值 28%，實際有效匯率升值 31.5%。這一時期，儘管經常帳戶赤字仍然持續增加，但柯林頓政府致力於改善財政赤字取得了明顯效果，1998 ～ 2000 年連續 3 年實現財政盈餘。美國的資訊科技革命吸引大量資金流入美國，也支撐了該時期的強勢美元政策。但弱勢美元向強勢美元的轉換，成為亞洲金融危機的重要影響因素。1996 年以前的弱勢美元誘發投機熱錢大量流入亞洲，1997 ～ 1998 年弱勢美元政策向強勢美元政策的調整，則導致大量國際資金流回美國參與股市和其他資產投機。投機熱錢迅速流出亞洲各國，使亞洲各國資產價格泡沫加速破滅。

從 2002 年開始，美國聯準會為避免美國經濟陷入持續嚴重衰退，不斷降低基準利率，2003 年基準利率曾達到 1%的歷史低位。2003 年美元名義有效匯率和實際有效匯率分別大幅度貶值 12%和 10%，此後呈持續貶值趨勢，到 2007 年美元名義有效匯率和實際有效匯率分別比 2002 年貶值 25.7%和 25.3%。該時期，低利率使金融體系的流動性急劇增加，房地產市場的信貸規模迅速擴張，助長了美國經濟的泡沫，而之後的利率政策轉向導致泡沫破滅，最終誘發了當前這場百年不遇的全球性金融危機。

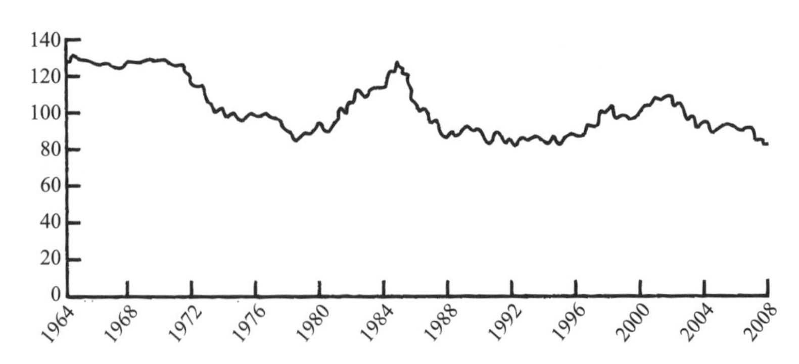

1964 ～ 2008 年以來美元實際有效匯率的波動軌跡

資料來源：國際清算銀行（BIS）

歐元匯率的變化

歐元啟動以來，受多種因素的交互影響，歐元兌美元匯率一直處於動態變化之中。

1999 ～ 2001 年，歐元經歷短暫的上漲後便一路走低，雖間或出現局部反彈，但總體呈單邊下滑趨勢。歐元出售的第一天在 1.183 的價位啟動，並曾升至 1.19 的高位。然而「風光」了短短的 1 星期，歐元便步上長達 3 年的貶值之路。1999 年 1 ～ 6 月，歐元兌美元匯率分別為 1.161、2.221、1.055、1.070、2.063、1.035。此後，歐元延續跌勢，於 11 月底跌破美元平價的投資者心理價位，之後稍有回升，大致保住與美元等值。2000年，歐元仍是「跌跌」不休，繼2月再次跌破美元平價之後，於春夏之際一度跌至0.82的歷史最低水平;9月20日，歐元匯率僅為0.846。在歐、美、日、英央行聯手干預後，歐元匯率有所反彈，但好景不長，之後繼續走低；10月，歐元大約貶值30%。經歷年底短暫的反彈後，歐元於2001年中期又跌至低點，在1歐元兌0.85美元的匯率水準上震盪。

2002～2004年，伴隨歐元進入流通的利多消息，歐元轉而進入期盼已久的升值週期。2002年2月1日，歐元匯率從0.856的價位一路上揚，2～6月，歐元平均匯率分別為0.870、0.876、0.886、0.917、0.995，呈穩定的小幅升值走勢。經小幅調整後，歐元於7月中旬突破1的關鍵價位。此後4個月歐元或升或降，大致接近美元平價水準。同年11月，歐元突破平價水準後繼續保持升值態勢，短短1個月內，歐元接連突破1.01、1.02、1.03的關口，全年升值約20%。進入2003年，歐元匯價頻頻走高，5月23日，歐元匯率歷史性突破問世時的價位，經短期的震盪回補，歐元走勢不斷上揚，12月9日升至1.224，12月31日達到1.26的水平。至2004年8月，歐元又攀至1.329，一舉創出歷史新高水準。

2002～2004年，歐元區經濟表現明顯遜色於美國，而歐元卻在同期大幅上漲，這主要是由於突發事件和政治因素（具體而言主要是「911」事件、公司醜聞和對伊拉克戰爭）的影響，使美國經濟陷入停頓，失業率上升。儘管美國政府仍聲稱要推行強勢美元，但事實上迫於國內要求刺激出口以帶動經濟增長的呼聲，政府對美元走弱採取了「善意忽視」的態度。

日圓匯率的變化

眾所周知，第二次世界大戰後世界政治、經濟格局重新排列，美國成為當之無愧的強國，美元成為國際結算的主要貨幣，絕大多數國家都採取了盯住美元的固定匯率制度。日本也不例外，出於美國對日本經濟的扶植，將美元兌日圓的匯率定在了1：360。因為幣值比較低，而且日本國內需求不多，所以日本在經濟開始好轉後就開始大量出口。

日本經濟學家吉野俊彥在其《日圓的歷史》一書中寫道：「日圓的歷史無異於日圓的悲劇史。」事實確實如此，1949年4月下旬，盟軍總司令部決定採用單一匯率並設定為1美元為360日圓。1美元為360日圓的匯率維持了22年，比第一次世界大戰之前的金本位體系保持的20年紀錄還長。在漫長的22年間，日本為了維持該匯率而不斷拋售日圓購買美元，致使大量過剩的流動性推動物價水準上漲，日本政府和日本銀行為此付出了沉重的經濟代價。

隨著美國國際收支的持續逆差，1971 年美國的黃金儲備接近了臨界點的 100 億美元，當年 8 月 15 日尼克森總統被迫宣布美國停止黃金與美元兌換，布列頓森林體系隨之崩潰。在「尼克森衝擊」下，8 月 28 日日圓實現「第一次浮動制」，年底恢復了固定匯率制，1973 年 2 月又轉向了浮動匯率制。值得注意的是，浮動匯率制下的日圓匯率本來主要是由市場供需關係決定的，但美國並沒有放棄影響日圓匯率走勢的努力，其手段仍然是迫使日圓直接升值和金融自由化。

1983 年開始美國要求日本開放以金融、資本市場為中心的服務性產業。雷根政府將原來限定在貿易領域的對日市場開放，擴展到金融資本交易領域。美國的目的是希望以其高利率反映出的高預期投資收益率，誘導日圓向美國投資，從而解決日、美之間的貿易不平衡。

最充分地反映了美國在日本推行金融自由化、實現自己經濟目的之意圖的是 1985 年 9 月 22 日五國財政部長和中央銀行行長會議通過的「廣場協議」。「廣場協議」成功地使日圓和美元以罕見的速度朝著日圓升值、美元貶值的方向推進。在「廣場協議」達成之後的17個月內，日圓對美元升值了55%。1988年1月4日，日圓兌美元匯率上升至1美元對121.65日圓的水準。

「廣場協議」通過之後，日圓升值增加了其外匯風險。僅1986年，日本七大人壽保險公司以外幣計算的損失即累計超過1.7兆美元，這一損失額是七大人壽保險公司對外證券投資餘額的23%。日本銀行干預市場，在紐約市場上拋售日圓購買美元，在東京市場上轉為拋售美元購買日圓。當日本銀行拋售日圓購買美元時導致外匯存底急劇增加，而日圓資金大量流入國內金融市場。「廣場協議」的執行，加速了向不動產的貸款速度和擴大了貸款的規模，以及導致大量資金投向證券市場，這就為其後泡沫經濟的形成準備了資金條件，埋下了泡沫經濟的禍根。

2000年以來，日本經濟從「失去的10年」中復甦，進入戰後持續時間最長的增長週期。2001～2005年日本經濟平均增幅為1.7%，2006年增長率達到2.2%。2007年第一季度同比增長3.3%，全年經濟形勢看好。但與經濟基本面相反的是，日圓匯率自2005年年中便不斷貶值；2007年6月以後貶值幅度突然加大；6月15日日圓兌美元匯率跌破123，為4年半來新低。

5

人民幣為何要加快國際化

貨幣是一國的資本，按照卡爾・馬克思的理論，資本是能夠帶來剩餘價值的價值。一國的貨幣實現國際化，一個直接的好處是將為本國帶來更多的剩餘價值。

國際上著名的投資大師索羅斯，在2008年1月23日發表在《金融時報》（*Financial Times*）上的文章《全球面臨60年來最嚴重的金融危機》中曾預言：「當前的金融危機是一次對全球經濟的根本性調整。在這一調整過程中，美國將相對衰落，而中國和其他開發中國家將崛起。」

對當前的中國而言，若要實現崛起，要嘛人民幣國際化，成為真正的經濟大國；要嘛曇花一現，最終受制於外國強勢貨幣和金融。近年來中國積累了近兩兆美元的外匯存底，隨著美元的不斷貶值以及美國經濟的不穩定因素加強，要實現中國外匯存底增值，最佳途徑或許只有支撐人民幣國際化。

2008年上半年中國的CPI超過了8%，當人們對中國居高不下的通貨膨脹擔憂的時候，美國的次貸危機轉化成了國際金融危機。2008年下半年，國際金融危機把全球的PPI拖到了谷底，中國的CPI也因此被拉到了負值。雖然這一波國際金融危機削斬了中國高懸的CPI，但未來它若再次向上狂奔時，誰又將是那勒馬的韁繩呢？唯一的制衡力量，將是人民幣國際化。

「危」中求「機」

年輕的英國人艾倫 ‧ 萊恩（Allen Lane）繼承了伯父的事業，當上了希德出版社的董事長。其時，出版社的經營已經是舉步維艱。萊恩絞盡腦汁，鎮日思索著解困之道。

一日，萊恩漫無目的地掃視著候車室旁的書攤，發現除了高價的新版書和內容庸俗的讀物外，幾乎沒什麼可看的書，而最重要的是，他發現這些書絕大部分都是價格昂貴的精裝書。這些內容平庸而價格高昂的圖書，別說是一般老百姓，連他也不會想買。這個發現觸動了萊恩，「出版價格低廉的平裝書，讓大多數的讀者都買得起，也許是解救出版社危機的唯一辦法。」於是他開始策劃出版平裝系列叢書。為了降低成本，他以購買再版圖書重印權的方式出版他的第一套平裝系列書，而且縮小了開本以節約紙張和封面的製作費用。他把每本書的定價壓低到了6便士，人們只要少吸六根菸就能買到一本書。

萊恩出版廉價叢書的計畫在英國出版界引起了一片非議，有人說這是自取滅亡，有人說這會影響到整個出版界。萊恩雖然毫不動搖地堅持這一計畫，但心裡明白，低廉的價格要由巨大的銷售量來支撐，如果單本書的定價是 6 便士，那麼每本書的銷量只有達到 17,500 冊才能回本。於是，他派人到英國各地去宣傳、推銷他們即將出版的這套平裝叢書。1935 年 7 月，第一套十卷本的《企鵝叢書》問世，不到半年的時間就售出了 100 萬冊，萊恩成功了。1936 年，希德出版社改名為企鵝圖書公司，它堅持薄利多銷、為大眾服務的原則，壟斷了英國平裝書市場幾 10 年，如今已成為全世界最著名的出版集團之一。

從萊恩的故事裡我們能悟出些什麼道理？其實中國的先哲們早有明訓，孫子兵法云：「圍地則謀，死地則戰。」不論是歷史上還是現實中，困境逼出良計的例子太多了。所謂急中生智、「危」中求「機」，困局中會蘊含著新的發展機會，但看你能不能尋到那一條重生之路。

在遭受全球金融危機嚴重衝擊的今天，中國同樣面臨著如何在「危」中求「機」的課題，而加快人民幣的國際化過程，或許會是擺脫不利局面的良計。

金融危機困境促使人民幣加快國際化

人民幣當「跟班」的日子不好過

有人戲稱美國聯準會主席是「世界中央銀行行長」，

因為許多國家儲備了大量美元，許多公司持有大量美元，每天美國貨幣市場的交易量達到幾兆美元，占全球交易量的七成，美國匯率的波動，美國宏觀政策、匯率政策的變化，最終要影響到世界各國。

從當今的國際貨幣體系格局來看，在國際貿易結算當中，美元所占比重超過 60%，而日圓、歐元都低於 10%；在外匯交易貨幣中，美元占比超過 40%，而日圓、歐元加總不過 30%；在國際儲備貨幣中，美元所占比重超過 40%，而日圓、歐元加總仍然低於 20%。整體看來，儘管美國爆發了嚴重的金融危機，但美元仍然是最被廣泛接受的國際化貨幣。

同時，美國透過貨幣和債券發行以及金融創新等手段不斷擴大其貨幣市場規模，加強其在國際貨幣市場、石油及鐵礦石等關鍵大宗商品市場的定價權。中國目前有三家期貨交易所，雖然對某些品種價格已經發揮了自己的影響力，但由於品種有限，絕大部分大宗商品的定價權還是根據國際期貨市場價格來確定。目前，國際市場的定價權基本上掌握在幾大期貨交易所手裡，國際石油價格主要由美國紐約和英國倫敦期貨價格決定，國際農產品價格主要以美國芝加哥期貨價格做為參考，國際金屬價格主要參照英國倫敦期貨價格確定。在這種情況下，中國大宗商品進出口只能被動地接受國際價格。與此同時，外國的供應商可以透過多種途徑了解或預測中國這些大宗商品的庫存狀況及採購時間、品種和數量，利用期貨市場進行炒作，抬高價格，賺取鉅額價差。此外，由於中國沒有相應的國內期貨市場進行價格風險規避，這就使中國企業對進口商品的價格風險絕大部分要由自己承擔。

因此，美元至今仍是貨幣裡的「老大」。在牙買加體系之下，美元雖已不如在布列頓森林體系之下那麼強勢，但近 30 多年來，隨著經濟全球化腳步的進一步加快，國際間對貨幣的需求量越來越大，實際上還是只有美元能夠充當這個「老大」，這個貨幣體系中基本上還是美元占據了主導地位。

正是因為對於美元的依賴，在面臨美元危機的時候，很少國家能夠獨善其身、遠離危害。相反，各國成了同在一條船上的難民，美元所遭受的損失分攤到了其他國家頭上。

據中國社會科學院金融研究所中國經濟評價中心的研究資料顯示，至 2009 年 5 月 7 日止，帳面上，美國國債餘額是 11.2 兆美元；美國政府在 2009 年 5 月 11 日估計本年度累積財政赤字為 1.84 兆美元，是 2008

年度財政赤字的四倍；美國政府估計 2009 年 10 月至 2010 年 9 月的財政赤字為 1.26 兆美元，2010 ～ 2019 年赤字總額則為 7.1 兆美元；未來 75 年美國未作撥備的社會保障計畫負債已上升至 51 兆美元。

可以看出，美國的國債規模就是一道難以填補的溝壑，而全世界還將繼續為美國人買單。據 2009 年 7 月 16 日美國財政部國際資本流動報告（TIC）顯示，2009 年 5 月中國增持美國國債 380 億美元，為本次金融危機爆發以來單月最高增持幅度，並且持有總量首次超過 8,000 億美元，達到 8,015 億美元的水準，繼續居各國之首。

那麼，中國為什麼要拿錢往永遠填不完的溝壑裡填呢？因為中美關係一榮俱榮、一損俱損。中國持有如此鉅額的外匯存底，想要不買美國國債都難。中國已經購買的美國國債的量太大，導致中國外匯存底中美元依存度更高，與美元更難分離，幫助美國經濟復甦，也相當於間接地幫助了自己。

金融危機敲響了警鐘

現實世界中，由於不存在世界政府和世界中央銀行，一些國家的貨幣同時擔當著國際貨幣的角色。建立在一國或幾國「國內貨幣國際化」基礎上的國際貨幣本位制度，內在地規定了國際匯率制度的不平等性。當前的國際貨幣體系主要由美元、日圓、歐元組成，是一種不對稱的貨幣體系。已開發國家由於掌握了貨幣發言權，在國際貨幣體系中居於主導地位。相反，開發中國家由於歷史的原因，在國際貨幣體系中處於被支配的地位。

這次金融危機引發了各國對以美元為核心的全球金融體系多種弊端的深刻反思。顯然，單一國際貨幣體系的利己性、缺乏約束制衡機制、權利與義務不對稱等內在缺陷，已成為制約世界經濟繼續健康發展的嚴重障礙。

2008 年年底，在華盛頓的「G20」會議上，中國國家主席胡錦濤提出了四點建議，其中專門談到國際貨幣體系多元化問題，其含義包括了人民幣的國際化。而實現人民幣國際化，就是要將人民幣做為國際貿易的一個結算貨幣，不但要計價，同時還要做為儲備貨幣。中國要實現由經濟大國向經濟強國的轉變，必須解決自身貿易大國與金融小國的矛盾，這需要倚賴金融的崛起，而金融崛起則要求擁有國際化的貨幣環境。目前的全球金融危機，在一定程度上為人民幣今後成為完全可流通的、可做為國際儲備的貨幣創造了基礎條件。

實際上，進入 21 世紀以來的歷次國際金融危機，歸根究柢就是全球單一美元本位幣的問題，是美元超額供給的問題。各國在不斷地比較與衡量打破美元慣性的收益和成本，當打破現有貨幣體系的收益大於成本成為一種持續預期，美元將無法再維持其做為唯一國際貨幣的地位。

世界貿易已經呈現出的多元化開放格局，以及世界金融儲備體系和世界貿易結算體系的變化趨勢，促使全球貨幣體系必然趨向調整。

對貨幣發行國而言，掌握貨幣政策以及貨幣和大宗商品的定價權，就意味著掌握了影響和控制別國財富的無限利益。由於美元在整個國際貨幣體系中占有特殊地位，所以美國可以利用美元負債來彌補其國際收支赤字，從而形成持有美元儲備的國家的實體經濟資源向美國轉移的現象。而中國要使外匯存底不受人擺布，沒有別的辦法，只有另起爐灶。

今天全球政治權力分配的格局應該是多極的而不是美國一家獨大的，事實上今天也不存在一個世界財政體系，可以將貨幣發行的「公共收益」再分配給全世界的美元貨幣消費者。1973 年以後，浮動匯率制度代替了固定匯率制度，美國收取了國際貨幣體系的絕大部分收益，同時又不對國際貿易協調中的物價穩定和充分就業負責任，使得世界經濟的調整過程失去了中央銀行性質的制度輔助，各國協調成本增加，整個世界損失效益。因此，改革20世紀的貨幣體系刻不容緩。中國不能寄望於既得利益者去進行貨幣體系改革，而是必須做出努力，促使各國的政策制定者們認識到，過度依賴服務於美元債務的出口，對任何經濟體都是一種自我毀滅的行為。出路只有一條，就是促成一個新的全球金融體系，擺脫美元霸權。

2008年爆發的這次國際金融危機，雖不能很快動搖美元在當今國際貨幣體系中的霸主地位，但卻給了人民幣國際化一個千載難逢的重大歷史機遇。美國金融危機的原因是其虛擬經濟與實體經濟的嚴重失衡，世界金融體系急切期待一個以實體經濟為支撐的貨幣加入國際貨幣體系之中，中國的人民幣無疑是眾望所歸。

中國發展現階段的貨幣訴求

20世紀90年代以來，中國國內生產毛額年均增長9.3%，經濟總量已居開發中國家之首；市場化取向的改革取得突破性進展，社會主義市場經濟體制初步確立；開放型經濟迅速發展，全方位對外開放格局基本形成；科技教育和各項社會事業全面發展。

2008 年，中國經濟總量超過德國躍居世界第三位，進出口總量高達 2.56 兆美元，穩居世界第三位，貿易依存度達 60％左右，全年吸收外商直接投資超過 900 億美元，說明中國的經濟開放程度已相當高。

隨著世界金融一體化的不斷深入以及中國經濟的進一步發展、開放的進一步擴大，國際上必將產生人民幣的市場需求。

國際金融危機爆發以來，國際貿易中最主要的結算貨幣美元和歐元的匯率都經歷了劇烈波動，同時，國際金融危機和世界經濟放緩對貿易融資產生了較大衝擊。匯率的劇烈波動和貿易融資的萎縮，都對貿易需求產生不利影響。在美元和歐元匯率的劇烈波動中，中國企業和貿易夥伴國企業普遍希望使用幣值相對穩定的人民幣進行計價和結算，以規避使用美元和歐元結算的匯率風險。

事實上，中國也在摸索避免外貿中的匯率風險的辦法。2008 年 11 月 10 日，中國人民銀行就落實適度寬鬆的貨幣政策召開行長辦公會，提出「鼓勵和引導金融機構擴大出口信貸的規模，探索在出口信貸中提供人民幣中長期融資」。

2008 年 12 月 8 日，中國國務院發布「關於當前金融促進經濟發展的若干意見」，提出「允許金融機構開辦人民幣出口買方信貸業務」、「允許在內地有較多業務的香港企業或金融機構在港發行人民幣債券」、「支持香港人民幣業務發展，擴大人民幣在周邊貿易中的計價結算規模，降低對外經濟活動的匯率風險」。

2008 年 12 月 24 日，中國國務院常務會議研究部署「搞活流通」、「擴大消費」和「保持對外貿易穩定增長」的政策措施，提出「對廣東和長江三角洲地區與港澳地區、廣西和雲南與東協的貨物貿易進行人民幣結算試點」。人民幣做為國際結算貨幣的範圍和影響將越來越大。推進人民幣用於國際結算，有利於中國的企業在國際經濟往來中控制匯率風險、降低交易成本和便捷交易行為，也有利於打擊境內外的非法人民幣與外幣交易行為，維護中國的金融秩序和金融安全。

10 年前，中國 A 股上市公司總市值僅相當於美國通用公司一家企業的市值，而到了 2007 年，中國 A 股市場融資額突破 8,000 億元，已成為全球最大的融資市場。2007 年年底，中國 A 股上市公司總市值達到 32.4 兆元，全世界最大的 10 家上市公司中，中國已占 5 家。

有專家預計，到2020年，中國資本市場的市值會達到100兆元以上。顯然，如此龐大的市值僅僅依靠中國國內的資金是無法支撐的，必須吸引全世界的資金參與。

次貸危機導致了美國經濟減速，資本市場的表現就是急劇動盪、疲軟走弱。這樣的市場情況，對於熱錢來說已失去投機機會，投資風險加大。而中國經濟在未來仍然保持一個高速增長的趨勢。中國人民銀行行長周小川表示中國仍有升息空間，將導致中、美利差繼續擴大，人民幣升值預期進一步提高，這就給國外熱錢大舉進入中國提供了難得機遇。在次貸風暴越演越烈的情況下，充分利用外資做大、做強中國資本市場已成為可能。隨著資本市場的崛起，中國正在走向資本大國。世界金融巨頭在這次美國次貸危機中有不同程度的損失，實力削弱，世界金融中心很有可能向中國移動，同時這將有力地支撐人民幣成為世界性的貨幣。

為尋找人民幣國際化的對策，中國人民銀行成立了人民幣國際化研究課題組，中國社會科學院也早已開展了人民幣國際化的專題研究，並派人在中國周邊地區做過關於人民幣國際化程度的詳實調查與研究。在中國人民銀行、國家發展和改革委員會近期的報告中，不約而同地提到一點：趁現在人民幣處於上升趨勢的時機，密集推動人民幣的區域化和國際化。中國人民銀行的報告認為：「人民幣國際化已進入起步階段……，目前我們應主動抓住機遇，適時適度推動人民幣國際化程度的提升。」國家發展和改革委員會的報告也認為，應該「抓住現在人民幣受全球追捧的時機，以香港為操作平台，探索人民幣區域化，擺脫國際收支倚賴發達經濟體貨幣的局面，爭取形成境內與周邊經濟體之間基於人民幣的國際結算關係」。

2009 年 8 月，中國媒體報導了中國人民銀行副行長易綱出任國家外匯管理局局長的消息，而此前另有媒體報導了原國家外匯管理局局長胡曉煉將出任中國人民銀行副行長，她的一個重要職責即是提升人民幣國際化的研究和推進工作。媒體認為，從此番人事調整，可見中國推進人民幣國際化意圖之一斑。

中國外匯存底——人民幣國際化的堅強後盾

美國次貸危機爆發以來，中國高額外匯存底的投資與管理遇到前所未有的考驗。隨著次貸危機逐漸演變成嚴重的國際金融危機，中國近 2 兆美元的外匯存底究竟應當如何投資、怎麼管理？這個以前並非大眾化的話題已經成為中國人矚目的焦點。

2009 年 7 月 10 日中國海關總署公布的數據顯示，2009 年 6 月，中國單月的進出口總值為 1825.7 億美元，同比下降了 17.7%，其中出口同比下降 21.4%，進口同比下降 13.2%。與這一期間貿易順差、FDI 萎縮形成鮮明反差的是，2009 年第二季度外匯存底大幅增長。4 月和 5 月，外匯存底分別增加 551 億美元和 806 億美元。2009 年 6 月，外匯存底增加 421 億美元，同比多增 302 億美元。至 2009 年 6 月底，國家外匯存底餘額為 2.1316 兆美元，同比增長了 17.84%。這個數字相當於 2006 年義大利的 GDP。

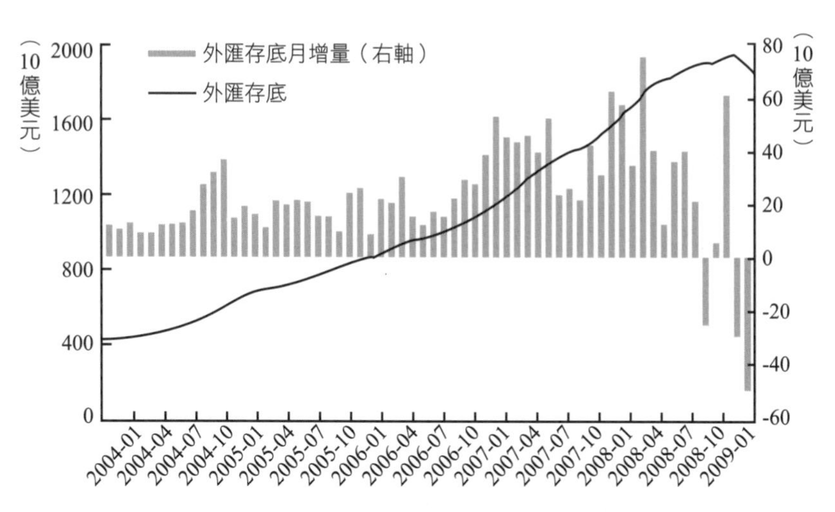

2004 年 1 月至 2009 年 1 月中國外匯存底情況

中國經常帳戶順差的主要來源是歐、美等發達國家。當人們用順差獲得的美元和歐元現匯兌換成人民幣之後，這些現匯便流到中國外匯管理局。當外匯管理局用它們購買美元和歐元債券以後，這些現匯流回到自己的發行國，替代它們的是中國外匯管理局手中所持有的美、歐政府和機構的債券。因此，中國的鉅額外匯存底主要是美國和歐洲的債券等金融資產。所以雖然中國人民銀行掌握有鉅額的國家外匯存底，但並不等於中央銀行可以把這些外匯存底用於全民分配。

在目前的情況下，對中國的外匯存底來說，只有一種用途不但不會使其遭受損失，而且還會帶來巨大的長遠利益，那就是支持人民幣盡快成為國際儲備貨幣。

在 20 世紀 70 ～ 80 年代，日本的大量外匯存底使其國內資金充斥，資產價格持續上漲，同時，日本持續順差導致日圓升值壓力也不斷增強。當時的日本政府採取的措施不是積極向外疏導日圓，而是設法擋住美元入境和向外輸出美元，使得日圓在國際上的供應量偏少，從而沒有壓制住日圓升值的趨勢，導致了日本國內實體經濟衰退，虛擬經濟泡沫化。

而面臨相同情況的德國則是憑藉大量的美元外匯存底做為平準基金，主要用來調節馬克的匯率，同時積極透過資本帳戶持續逆差向外輸出馬克，使得前西德馬克從戰後占國際儲備貨幣比例為 0，發展到占國際總儲備貨幣 18%的比例。如果沒有前西德馬克做為支撐，很難想像歐元能夠成為國際儲備貨幣，因為構成歐元的其他貨幣，包括法國法郎、西班牙披索等，加在一起也不足國際儲備貨幣的 2%。

我們知道，一國外匯存底的基本的也是最重要的功能是，保證本國貨幣匯率的穩定。有鑑於日本以及德國的經驗，對於目前中國外匯存底的使用來說，支持人民幣國際化不失為一種最佳選擇，因其既具有現實可操作性，更具有民族長遠發展的戰略意義。

做為一種非國際化的貨幣，人民幣既無法被用來在國際金融市場上發放貸款進行投資，也不能對儲備美元資產的風險進行對沖。隨著時間的推移，美元債權進一步增多，中國國內美元資產所有者越來越擔心人民幣對美元升值的風險，於是會爭相持有人民幣，導致人民幣更加升值。而外國人則會抱怨中國貿易順差的持續增加，認為這是由於人民幣幣值被低估導致的，於是也要求人民幣升值。這使得人民幣升值壓力更大，進而造成中國國內美元資產持有者更多的擔心。一旦發生將美元資產兌變為人民幣資產的風潮，政府就會左右為難。今天中國就走到了這樣一個與德國和日本相似的歷史關鍵。

然而，中國目前採取的措施卻是類似於當年日本的措施，如鼓勵用外匯到國外投資，鼓勵用美元購買美國的飛機，以及委託國外機構投資者經營中國的外匯資產等等。這些措施既不會緩解國內流動性膨脹，也不會對人民幣升值壓力有根本性的改變。一旦人民幣升值達到一定程度，就會出現當年日本那樣的情況，人民幣國際化的大門會被關閉。

因此，中國必須抓住自身經濟快速增長和人民幣匯率具有較強升值預期的這一黃金時期，順勢開放中國的資本帳戶，積極推進人民幣國際化和向外輸出人民幣。當人民幣國際化以後，輸出去的人民幣當然不可能全部成為國際儲備，但是，中國鉅額的外匯存底完全可以應付人民幣的回流。如果按照美元兌人民幣 1 ： 6.8 的匯率計算，中國近 2 兆美元的外匯存底可以應對 14 兆元人民幣的部分回流，同時基本可以保證人民幣匯價和匯率的波動在中國可控的範圍之內。因此，目前中國龐大的外匯存底完全可以做為調控人民幣匯率波動的平準基金，前提是要建立一個虛擬經濟的國際化交易平台，尤其是債券類資產國際化交易平台。

同時，現有外匯存底可用來增持黃金，為人民幣實現國際化提供支撐。中國外匯管理局 2009 年 4 月曾表示，中國國內黃金儲備自 2003 年以來增加 454 噸，目前儲備已達到 1,054 噸。一方面，長期來看美元必將貶值，購買黃金是一個好選擇；另一方面，人民幣要國際化、成為國際儲備貨幣之一，需要黃金來作基礎。中國應提高黃金儲備在外匯存底中的占比。美國黃金儲備占外匯存底的比重高達 76%，義大利為 65%，德國與法國均達60%，而中國的黃金儲備只占外匯存底的1.6%。

目前看，即使按中國國民生產總值占全球國民生產總值 6%的現實比重計算，中國的經濟實力亦足以支持占全球國際貨幣總儲備 6%～ 10%的人民幣國際化率，也即人民幣國際化的規模應該為4,200～7,000億美元，若以美元兌人民幣 1 ： 6.8 的匯率水準計算，大約有 3~5 兆元的人民幣能夠走向國際。這筆人民幣出境成為國際貨幣，是需要較大規模的外匯存底以確保其突然全部回流時的匯率穩定的，也就是說，當人民幣匯率大幅下跌時，可以拋售外匯存底中的美元、歐元等資產，以保證人民幣匯率不會被拖垮，從而增強已出境的人民幣在國際儲備貨幣體系中的地位，這一功能是中國外匯存底最重要的任務。

顯然，用外匯存底買到人民幣的國際儲備貨幣發行權，並支撐其在國際儲備貨幣中的地位，無疑是中國外匯存底最有效、最具長遠戰略性的使用方式。而只有透過這種方式，在紛繁複雜的美元世界中，中國才能保有一席之地，不再受已開發國家的控制。因此，利用高額外匯存底積極推進人民幣國際化，使中國在國際貨幣體系中具有貨幣發言權，成為真正意義上的經濟強國，實為當務之急。

6

人民幣國際化願景與影響

筆者認為:國際金融危機後,國際上將出現「人民幣—美元」,之後將轉變為「美元—人民幣」。在21世紀的前30年,人民幣將成為世界主導貨幣之一。到了21世紀中葉,人民幣將與美元、歐元一起,共同完成一項人類經濟生活的重要變革——實現「同一個世界同一個貨幣」的目標。人民幣國際化的美好願景或許今天還是人們的夢想,但是不久的將來,人民幣終將國際化,「中國的人民幣」一定會成為「世界的人民幣」。

有句話說:「得到,就是失去的開始,如果沒有得到,也就不會有失去。」這個道理很簡單,但有些人永遠不會想到。在得到人民幣國際化結果的同時,我們必然會失去一些東西,這就是所謂的正面與負面的影響。還有一句話說:「人生沒有最好的選擇,只有承擔選擇。」套用這句話,我們可以說:中國沒有最好的選擇,只有承擔人民幣國際化的選擇。

那麼,就讓我們對人民幣國際化必將產生的影響進行一番利弊權衡吧。

人民幣國際化到底有多好

如今，已經實現國際化的貨幣，如美元、歐元等，正在享受國際化帶來的種種好處與便利。若人民幣實現國際化，分享同樣的好處也是必然的。

有利於促進中國企業「內外兼修」

在 2009 年 7 月初，中國政府開展跨境貿易人民幣結算試點時，中國紡織經濟研究中心主任、《中國紡織》雜誌社總編輯孫淮濱表示：「這個政策的出爐，對我們紡織出口企業規避匯率風險，肯定會產生積極的作用。2008 年上半年由於人民幣升值美元貶值，對我們的出口造成了比較大的損失，下半年對歐元也出現了同樣的情況。」

孫淮濱算了這樣一筆帳：如果一家中國企業想從境外進口價值 50 萬美元的貨物，當時美元對人民幣匯率為 1 ： 6.8，如果按照這個匯率計算，企業應該付出的人民幣是 340 萬元。但一般貨款都是等到 10 天後對方貨物運到時才支付，這個時候匯率已經變成了 1 ： 6.85，也就是說這個時候美元升值了，境內企業最終支付的人民幣其實是 342.5 萬元，比原來增加了 2.5 萬元。

孫淮濱說，這樣的情況並不少見，尤其在匯市極為動盪的 2008 年，不少企業深受其害。不過，如果是使用人民幣進行結算的話，就不會涉及匯率波動的問題了。

以往，中國絕大部分對外貿易均以美元、歐元、日圓計價和結算，匯率波動風險也主要由境內企業承擔。

深圳一家專營眼鏡生意的外貿公司，產品大部分出口到歐洲，這個公司的任小姐說，2008 年 5 月，她接了一筆 200 多萬元人民幣的訂單，接單時只收了 30％的訂金，還有 70％的貨款要等出貨前才給。結果到 2008 年 9 月分收款出貨時，歐元匯率跌了 12％左右，她損失了 20 多萬元人民幣。任小姐說，如果能夠以人民幣結算，公司就可以避免匯率波動帶來的損失。

從上述兩個例子中可以看出中國內地外貿企業普遍的擔憂，那就是國際貿易和投資需要借助國際貨幣結算和計價，如果是以美元等國際貨幣結算，中國企業要擔負太多的風險。而在實現人民幣國際化後，人民幣成為國際結算的主要貨幣之一，就可減少中國企業在國際貿易中對美元、歐元等國際貨幣的過分依賴，避免匯率風險，降低交易成本。

由於國際貨幣被廣泛用於國際間的計價、支付和結算，絕大多數跨國貨幣收支，如國際貿易中的貨款結算、國際金融市場上的資金借貸和本息償還，都是用國際貨幣來進行的，這就使國際貨幣成為一種非常緊缺的資源。而要得到這種資源，其他國家就必須與國際貨幣發行國發展貿易往來，進行經濟合作。一國在對外經濟往來中直接用本幣計價、結算，簡捷方便，有利於其對外經濟往來的擴大，中國也不例外。例如，對進出口商來說，匯率風險是他們面臨的主要風險之一，規避它的最好辦法是用人民幣計價、結算。這樣做，一方面能使中國進出口商免去了對外匯收支進行套期保值的成本支出，另一方面便於對國外進口商提供本幣的出口信貸，從而進一步提升中國出口貿易的競爭力，擴大對外貿易和經濟往來。

其實，對出口型企業來講，出口時用人民幣進行對外報價結算，不僅可以降低匯率波動給出口企業帶來的風險，也可減少企業的結售匯成本。減少一次匯兌，就減少了資金流動的相關環節，縮短了結算過程，這樣，企業就不必進行外幣衍生性金融商品交易，從而減少了相應的人力資源投入和相關資金投入。

隨著人民幣的普遍被接受，更多的國際貿易將採用人民幣做為報價貨幣和結算貨幣，而不再過度依賴美元、歐元等貨幣進行國際結算。人民幣成為國際支付結算幣種，還能使外商更多地透過中國金融機構結算。

人民幣國際化後，隨著人民幣的不斷輸出，不但可以換取中國國外實際資源的大量進口，更重要的是人民幣的國際貨幣地位將大大拓寬中國企業利用資金（內資和外資）的管道，降低籌集資本或進行資本交易的成本，提高投融資的效率，促進中國企業的海外發展。

到那個時候，世界處處有中國企業的影子，中國的品牌在世界多數地方鼎鼎有名。企業不用再擔心海外融資的問題。人民幣做為普遍使用的結算貨幣，進出口企業也不用擔心匯率變動導致的資產損失。

人民幣國際化還可以促進中國企業改革，轉換經營機制，以適應國際市場變化的需要。我們知道，人民幣要實現國際化是應具備一定的條件的，條件之一就是中國的企業要建立起能夠適應經濟全球化需要的現代企業制度，而現代企業制度能夠不斷營造全新的企業經營與管理機制，使企業不斷適應國際市場的變化。因此，人民幣國際化是和現代企業制度的完善以及企業的外向化發展緊密聯結的，它可以促使企業不斷地深化改革，加快向海外發展的過程。

人民幣的國際化還為中國投資者及消費者帶來很大的方便，使其在國際經濟交易中可以較多地使用本幣而少受或免受外匯風險的困擾。當本幣成為國際貨幣以後，中國對外經濟貿易活動受匯率風險的影響就將大大減少，國際資本流動也會因交易成本降低而更加順暢和便捷。因此，貨幣國際化也將給中國居民和企業的對外往來創造方便條件，使得實體經濟和金融經濟的運作效率都將有所提高。

總之，人民幣國際化最大的好處在於，中國對外貿易不必再擔心其他國際貨幣的升值或貶值帶來的直接衝擊。中國是進出口大國，同時也是世界上最大的製造業國家，許多出口商品的價格較低、附加價值不高，而進口的產品又多數為高附加價值產品，因此匯率的稍許變動對中國許多外貿企業都會造成致命的打擊。若人民幣成為中國與各個國家貿易的直接結算貨幣，中國企業就可以消除這個後顧之憂。

有利於平衡國際貿易

國際貨幣基金組織的研究報告指出，當越來越多的外國人接受某一國際貨幣時，每一單位的該貨幣能購買的商品數量也隨之上升，這將使得該國際貨幣發行國的貿易條件得到實質性的改善。

人民幣國際化過程會進一步促進中國邊境貿易的發

展。按照漸進式推進的國際化思路，人民幣的國際化必然從在邊境貿易中履行計價和交易媒介功能起步，進而不斷擴大邊貿計價的範圍，在積累到一定的規模和信用之後，轉而到一般貿易中履行結算功能。這些過程基本上還是在國際貿易的推動下進行。只有在國際貿易積累到相當的規模、國內金融市場也相對完善、人民幣自由兌換即將完全實現時，人民幣才可能真正成為國際金融市場上的借貸和投資貨幣，進而成為國際儲備貨幣。

因此，在人民幣實現完全自由兌換之前，推進人民幣的國際化應當採取務實策略，從邊境貿易推動下的人民幣區域化策略起步，在中國對外貿易的快速發展中，逐步地、有意識地推進人民幣在國際貿易中做為結算貨幣的便利程度，提高人民幣使用的規模。與此同時，相應地為人民幣的進一步國際化做好監管方面的準備。

與那些和中國有比較活躍的邊境貿易之國家和地區相比，中國金融機構目前具有相對較高的經營管理水準，市場化程度不斷提高，加之人民幣匯價穩定並呈現升值趨勢，因此中國金融企業開展雙邊結算業務，有利於拓展中國金融機構的盈利空間，同時，也能夠在一定程度上將人民幣在周邊國家和地區的流通狀況納入中國監控體系。近年來，在邊境經貿往來中，人民幣做為支付貨幣使用的規模在不斷上升。但是由於法規上的空白和認識上的差異，人民幣在周邊地區和國家的真實流通規模難以掌握。

可以預測的是，由於人民幣國際化會減少匯率風險，因此它會促進中國國際貿易和投資的發展。但同時，對外貿易的快速發展將使外貿企業持有大量外幣債權和債務，由於貨幣風險缺口較大，匯率波動會對企業經營產生一定影響。人民幣國際化後，對外貿易和投資可以使用本國貨幣計價和結算，企業所面臨的匯率風險也將隨之減小，這可以進一步促進中國對外貿易和投資的發展，同時也會促進以人民幣計價的債券等金融市場的發展。

同時，我們也會看到，在邊境貿易和旅遊等實體經濟行為中發生的人民幣現金的跨境流動，在一定程度上緩解了雙邊交往中結算方式的不足，推動和擴大了雙邊經貿往來，加快了邊境少數民族地區的經濟發展。另外，不少周邊國家是自然資源豐富、市場供應短缺的國家，與中國的情況形成互補，人民幣流出境外，對於緩解中國的自然資源短缺、市場供應過剩有利。

從總體上看，隨著中國與周邊國家和地區經貿往來的不斷深入發展，伴隨著人民幣穩定升值的預期，人民幣在周邊國家和地區經貿活動中將日益受到追捧，特別是在缺乏強勢貨幣、貨幣匯率也不太穩定的國家和地區更是如此。

有利於中國獲得合理收益

目前中國擁有數額較大的外匯存底，實際上相當於對外國政府的鉅額無償貸款，同時還要承擔通貨膨脹稅。人民幣國際化後，中國不僅可以減少因使用外匯引起的財富流失，還可以獲得國際鑄幣稅收入，為中國利用資金開闢一條新的管道。

實現人民幣國際化後，最直接、最大的收益是獲得國際鑄幣稅收入。鑄幣稅是指貨幣發行者憑藉發行貨幣的特權，所獲得的紙幣發行面額與紙幣發行成本之間的差額。在本國發行紙幣，鑄幣稅收入是取之於本國用之於本國，而發行國際貨幣則相當於從別國徵收鑄幣稅，這種收益基本上是零成本的。

簡單地講，一張面額 100 美元鈔票的印刷成本也許只有 1 美元，但是卻能購買 100 美元的商品，其中的 99 美元差價就是鑄幣稅。鑄幣稅是政府財政的重要來源，使用別國的貨幣，就是主動放棄了大量的財富。我們知道，今天的國際社會主要是以美元為國際結算貨幣，那麼當大家在享受統一的結算貨幣為貿易帶來的便利同時，實際上也是付出了被人徵收鑄幣稅的代價。對於國際貨幣的發行國來說，發行國際貨幣的鑄幣稅是取之於國際而用之於本國，是對他國資源的占有，是一種額外的國際收入。

做為當前世界上最主要的國際貨幣，美元憑藉其特殊的經濟地位以及美國經濟規模在整個世界經濟中的比重，以強勢貨幣的優勢向若干國家滲透並部分或全部地排擠他國的弱勢貨幣，無償占有和使用世界各國的資源和財富，從而得到了來自全世界的鉅額鑄幣稅收益。

美國聯準匯以極低的成本印製美元，當美元被用來購買實際資源或兌換其他貨幣並進行投資時，美國政府就會從中獲取巨大的利益。目前在全球流通的美元現鈔超過 9,000 億美元，大約三分之二在美國境外流通，若以美國印製一張 1 美元鈔票的材料、人工費只需 0.03 美元計算，這意味著美國徵收的存量鑄幣稅至少將近 6,000 億美元。一項關於美國鑄幣稅的研究表明，美國平均每年能獲得大約 250 億美元的鑄幣稅收益，第二次世界大戰以來累計收益在 2 兆美元左右。

從 1973 年開始，美國很少有經常帳戶收支平衡的年分，通常是逆差，美國國際收支賴以長期不彌補貿易赤字的奧祕就在於大量吸收國際資本。據統計，美國累計經常帳戶逆差從 1973 年到 2003 年第二季已達 3.5 兆美元，目前美國經常帳戶逆差約占美國 GDP 的 4%～5%，這是一個不小的數字，而美國是靠外國購買美國國債、公司債和股票等吸收國際資本的方式來支撐這個逆差的。1970 年以後的 30 年間，外國人持有美國國庫券的比重平均僅為 10.5%，但是 20 世紀 80 年代這個比重上升到超過 25%，90 年代則上升到超過 50%。

可見美國由於其貨幣充當國際貨幣而獲取的鑄幣稅是相當驚人的。追逐本幣的國際化及其鑄幣稅收益，越來越成為大國金融戰略的「公開的祕密」。當一種貨幣成為國際儲備貨幣以後，貨幣當局所獲得的鑄幣稅收益不僅來自於本國居民的貨幣持有額，也包括非本國居民貨幣持有部分。貨幣發行國的通貨膨脹率越高，其國際鑄幣稅的收益就越高。人民幣成為國際化貨幣，就意味著中國可以從國外儲備國獲得無息貸款。

隨著中國經濟總量的逐年增加，市場上的人民幣需求量也越來越大，與此同時，人民幣開始在周邊國家、地區流通，也成為人民幣在市場上的流通數量增長的因素之一。截至 2005 年年底，中國市場上人民幣流通量（M0）餘額達到 2.4 兆元，同比增長 9.4%。這個流通量滯留在持有者和流通領域之中，就能為政府創造貨幣收益。因此，在人民幣國際化的條件下，中國可以透過輸出人民幣紙幣，在國外進口真實資源，這樣便能在不導致外匯存底大量流失的情況下，保持甚至擴大國際收支逆差，獲得國際鑄幣稅的收益。

據中國有關專家估算，一旦人民幣成為國際貨幣，中國每年因人民幣國際化而獲得的鑄幣稅收益至少可以穩定在 25 億美元左右。如果人民幣的購買力能夠在較長的時期內保持穩定，並且人民幣的國際化區域逐步擴大，那麼到 2010 年人民幣國際化帶來的國際鑄幣稅收益可能為 152.8 億美元，到 2015 年約為 224.6 億美元，到 2020 年約為 300.2 億美元。

在獲得鑄幣稅收入的基礎上，國際貨幣發行國還可以低成本地使用存放在本國的外國儲備。這部分外匯存底放在持有國國內既無利息收入，又不利於對外支付，因而儲備貨幣的大部分都存入國際貨幣發行國銀行，而這部分儲備貨幣可供該國際貨幣發行國借用來對他國投資。一般商業銀行存款利率較低，而投資利潤率則較高，這樣，該外匯存底等於是國際貨幣發行國的一種低成本資金來源。結果，其他國家積累的外匯，並沒有用於那些國家國內的經濟建設，卻為國際貨幣發行國的經濟發展提供了充足的資金來源。對外投資的收益率與本國銀行的利差是國際貨幣發行國享受的純利，國際貨幣發行國可由此獲取內外資產收益率的差額利益。

有利於促進金融業的國際化

貨幣的國際化會使本國銀行及其他金融機構從中受益。各國銀行在經營本幣時無疑較具有優勢，因此擁有國際貨幣可以促進貨幣發行國金融業的發展，擴大金融機構的業務範圍和業務量，擴大金融部門的服務收入、貸款收入與投資收入。

人民幣成為國際支付結算幣種，能使外商更多地透過中國金融機構結算，這在進一步方便中國企業對外投資的同時，還能進一步促進中國金融機構的國際化。

中國的商業銀行跨境貿易人民幣結算業務採用兩種操作模式，即代理模式和清算模式。代理模式是指中資銀行委託外資銀行做為其海外的代理銀行，境外企業在中資企業的委託銀行開設人民幣帳戶的模式；清算模式是指在中資銀行境內總行和境外分支行之間進行的業務，即境外企業在中資銀行境外分行開設人民幣帳戶。無論哪一種操作模式，都可以為商業銀行帶來收費業務和資產業務的增加。此外，由於外資銀行手中沒有人民幣，它們需要中資銀行為其提供人民幣，中資銀行還可以由此獲得匯兌收益。而當境外企業獲得大量人民幣之後，中資銀行也可以針對其經營理財業務，獲取中間業務收益。

人民幣實現國際化，可以說是中國金融開放的一個最高階段，有助於提高中央銀行的宏觀調控能力，加強對貨幣供應量的調節，推動人民幣資金市場建設、公開市場業務開展和利率市場化步伐，建立符合市場需求的銀行體制和金融市場體系。在這樣一種高度開放的金融環境中，外資銀行和金融機構會不斷湧入，其經營業務範圍也會不斷擴大，同時中國銀行業也會走向世界，這就在資金、業務品種、服務手段以及利率和匯率風險管理等方面對中國銀行業提出了更高要求，勢必促進中國銀行業的經營管理體制發生變化。

另一方面，人民幣國際化後，更有利於中資銀行研發新產品，拓展新業務。目前中國金融機構的金融產品不足千種，而世界上貨幣主導國家的金融產品都多達幾千種，美國甚至超過一萬種。金融產品的多少是與一國金融業的開放程度或國際化程度密不可分的，因此，在人民幣國際化的過程中，中資銀行會在金融產品創新方面迎來更多的機會和空間，中資銀行的金融創新勢在必行，並且任重而道遠。

當人民幣資產交易可以進行規模交易，並且海外市場上人民幣相關交易是最終結算時，必然對中國金融市場的效率和市場水準提出更高的要求，以一種外力的形式促進市場深化。當然，這個市場應當能夠成為國際流通的交易中心，並且按照市場規則運行。這是因為，如果人民幣能夠在更為廣泛的區域內通用並增強便利性，那麼無論是在一般市場還是離岸金融市場，人民幣資產的相關交易都將活躍起來。這對培育和發展中國離岸金融市場，對豐富人民幣計價資產品種、擴大境內金融市場深度，乃至對中國本土金融機構國際化和金融創新來說，都具有積極意義。

此外，人民幣國際化可促進人民幣離岸市場的培育和發展。隨著人民幣國際化的推進，海外對人民幣的需求有所增加，為非居民進行人民幣投資或籌資提供資金手段的人民幣離岸市場的出現和壯大將成為必然。借助人民幣離岸市場這一平台，人民幣國際化不僅有助於形成一個完全市場化的人民幣利率指標體系，而且可以為國內的外匯市場調節提供參照，並帶動中國與亞太地區經濟的深度合作。

有利於與港、澳、台經濟互動

人民幣國際化有助於推動大陸與港、澳、台的經濟合作，推動「大陸─港─澳─台自由貿易區」的建立，使大陸、港、澳、台在經濟上成為相互依賴、不可分割的整體，這將有利於消除匯率波動，節約交易成本，增強兩岸四地共同抵禦國際金融風險的能力，並形成「人民幣國際化促進中國貨幣統一」、「中國貨幣統一促進人民幣國際化」的良性互動局面。

中國政府應該降低居民出入境的門檻，鼓勵中國居民到境外旅遊、求學、工作和從事各種經濟貿易活動。首先，可以考慮降低中國內地居民進入香港、澳門和台灣地區的門檻，擴大中國大陸和香港、澳門、台灣地區的經濟貿易往來。在此基礎上，可以考慮把中國的大陸、香港、澳門和台灣地區建成一個統一的經濟體，即形成所謂的「大中華經濟圈」，這樣有利於促進人民幣被香港、澳門和台灣地區的居民接受；其次，可以考慮降低中國居民進入中國邊境國家的門檻，擴大中國和邊境國家的經貿往來；最後，降低中國居民進入其他國家和地區的門檻，使中國參與的國際經濟活動的範圍逐步擴大。

人民幣國際化的幾大難題

人民幣國際化意味著必須有世界交易商、投資者以及其他國家中央銀行對人民幣的強烈需求，人民幣要被做為與外國進行貿易結算的交易媒介、主導國際金融業務的計價單位，以及中央銀行用作外匯存底的貯藏手段。經濟學家一致認為，支撐一種貨幣國際化要有三個支柱，一是國家的經濟規模和貿易額，二是資本市場的廣度、深度和流動性，三是貨幣本身的穩定和可兌換。以此來看，人民幣國際化道路上還存在眾多障礙。從中國的實體經濟發展狀況來看，推動人民幣國際化過程尚存力有不逮之處。

首先，與貨幣國際化程度相對較高的國家相比，中國的經濟實力還有一定的差距。同時，中國的宏觀經濟環境仍存在一些突出的問題。因此，現階段大規模推動人民幣國際化過程的基礎並不穩固。綜觀全球主要國家的貨幣國際化實踐，一國貨幣國際化過程要求該貨幣發行國應具備以下條件：占有全球經濟較大比例的經濟實力、政治上高度穩定、宏觀經濟環境的穩定和完善的市場經濟體系、經濟的可持續發展能力。

其次，在管理和制度方面，人民幣國際化還有諸多障礙。由於中國產業結構的轉型還沒有完成，中國經濟的增長方式抵禦外部衝擊的能力還很脆弱，所以，人民幣匯率的市場化推進和人民幣資本帳戶的開放不可能馬上完成，這就為人民幣國際化的實質推進帶來了制度性的障礙。再加上中國缺乏保證國際業務健康發展所需要的一整套成熟的法律、會計和監管體系，要在國際舞台上獲取人民幣真正的發言權還需要走很長的路。

第三，中國現有經濟體制有待進一步完善。中國市場經濟體制建設初見成效，但仍存在難以支撐人民幣迅速實施國際化過程的諸多問題，如利率市場化問題、人民幣匯率機制完善問題、資本帳戶可自由兌換問題等。由於中國金融體系的改革和發展起步較晚，中國金融機構的業務大量集中在傳統的信貸業務上，所以，雖然中國沒有像歐、美銀行那樣在這場危機中受到致命的打擊，但是，中國銀行大而不強的弱點經不起完全開放後會出現的衝擊。另外，中國資本市場發展更為單一，市場的投資文化和金融產品的缺失很容易引發追高殺低的局面。這也是非常不利於人民幣走向國際化的重要因素之一。

第四，人民幣國際流通量不足也將成為國際化的另一問題。因為在金本位的黃金時代，英國雖然存在龐大的經常帳戶順差，卻透過資本輸出向世界各地輸出了大量英鎊。布列頓森林體系建立之後，美國透過經常帳戶逆差向世界提供了美元流動性。儘管中國已經成為全世界貿易順差最大的國家之一，但對外直接投資規模仍然較小。

總之，中國宏觀經濟存在著眾多的矛盾，微觀機制有待健全，金融體系較為脆弱，金融監管有待加強，加上國際環境較為嚴峻，所以，等到人民幣資本帳戶可兌換的前提條件成熟，還要有較長的過程。在這種情況下，漸進模式就成為必然的選擇。

人民幣國際化有何風險

想像中的未來很美好，但現實中一定會遇到種種的困難與矛盾，這是我們在憧憬未來的同時必須面對的問題。經濟全球化、金融一體化是大勢所趨，對於近在咫尺的人民幣國際化，我們只有充分認知了其影響，才能真正趨利避害。

中國企業面臨的挑戰

人民幣國際化後，會出現企業出口收匯是人民幣、進口付匯也是人民幣的現象。在這種情況下，可能使進出口核銷制度出現操作性困難。這是因為可能會存在人民幣來源混淆的情況，特別是多次轉匯後支付管道與國內支付混淆時，會出現如何界定資金是否來自境外的問題。這些都會對中國企業的海外經營和發展造成很大的負面影響，應引起中國政府和企業部門的高度重視。

前面提到，人民幣國際化對中國經濟、金融穩定會產生一定影響。人民幣國際化後，中國國內經濟與世界經濟緊密相連，國際金融市場的任何風吹草動都會對中國經濟、金融產生一定影響。如果人民幣實際匯率與名義匯率出現偏離，或是即期匯率、利率與預期匯率、利率出現偏離，都將給國際投資者套利的空間，投機性資本將加速流動，相應地，中國政府就會採取一定的宏觀調控措施予以應對，而貨幣政策的變化和調整將會對企業的經營和管理帶來挑戰。

因此，中國企業應加強對宏觀經濟、金融政策和國際金融市場的研究，做好人民幣國際化中政策變化的企業應對腹案，同時也要做好新形勢下企業財務管理制度的研究和創新。

中國經濟面臨的挑戰

和任何經濟現象都具有兩面性一樣，人民幣國際化對中國經濟發展也不可避免地具有正負兩方面的效應，因此應當以辯證的眼光來看待。人民幣國際化道路曲折是必然的，而且它可能會對中國經濟產生五個方面的負面影響。

首先，對中國經濟和金融的穩定產生一定影響。人民幣國際化意味著中國終將取消對資本帳戶的管制，使人民幣最終成為完全自由兌換貨幣，這就有可能使中國的金融市場成為外國投機資本衝擊的對象，這種衝擊會對人民幣和中國金融市場造成嚴重影響。另外，由於取消了貨幣壁壘，國際上的經濟危機、通貨膨脹可隨時傳遞到中國國內，這種情況在金融自由化、大量資本在國際間自由流動的今天尤為明顯。再者，在外國人大量持有中國短期資產的情況下，國外對貨幣偏好的變化，往往會引起大量的資本流動，對中國經濟產生衝擊。

其次，人民幣國際化後將使國家的宏觀調控增加難度。人民幣國際化後，國際金融市場上將流通一定量的人民幣，使之在國際間的流動可能會削弱中國人民銀行對中國國內人民幣的控制能力，影響中國國內宏觀調控政策實施的效果。比如，當中國政府為控制通貨膨脹採取緊縮的貨幣政策而提高利率時，國際上流通的人民幣便會擇機而入，增加人民幣的供應量，從而削弱貨幣政策的實施效應。

人民幣國際化的某一階段有可能引起中國的通貨膨脹。因為，當人民幣國際化以後，由於人民幣成為國際間經常使用的計價、支付和儲備手段，因此國際上對人民幣的需求量將會大幅度上升，在這種大幅增長的需求之推動下，中國人民幣的發行量可能會大量增加，從而有可能形成通貨膨脹的潛在壓力。同時，由於利率與國際市場相連，資本流動特別是游資便會影響人民幣利率和匯率的穩定。

人民幣國際化可能使中國貨幣政策的操作遇到一定困難。在人民幣沒有區域化、國際化的情況下，不管中央銀行投放多少基礎貨幣，它都只是在中國境內流通。而當人民幣區域化和國際化以後，便有相當部分是在境外流通，這部分流出境外的貨幣雖然暫時對國內物價不發生作用，但其準確數據難以掌握，數量增減也難以為貨幣當局所控制，這就必然會增加中央銀行對貨幣供應量的調控難度。一旦條件成熟，這些境外人民幣又可能大量回湧，從而影響中國國內貨幣流通和幣值的穩定。此外，在人民幣國際化的情況下，由於取消了對資本流出流入的限制，國內金融市場和國際金融市場連成一體，資本可以自由進出中國國境，因此，也會使中國貨幣政策的有效性受到削弱。

第三，國際貨幣做為本國貨幣和做為國際貨幣的兩種功能有時候會發生衝突。貨幣國際化之後，本國貨幣與國際金融之間一體化程度將增強，這樣，中國國內的貨幣政策將面臨更加嚴重的「內外均衡的衝突」問題。國際儲備貨幣發行國不時發現，在實施國內貨幣政策時會受到國外本幣持有額「突出」的箝制。例如，美國做為國際儲備貨幣發行國，當其經濟生活中出現通貨膨脹時，採用提高利率的貨幣政策進行調節，結果境外美元回流，國內美元增加，貨幣政策失效；當國內通貨緊縮時，採取降低利率的政策，結果美元外流，國內貨幣減少，貨幣政策失效。

第四，人民幣國際化對中國國內經濟持續增長可能也會產生其他某種負面效應。中國是一個人口眾多、就業壓力長期存在的國家，因此，為了緩解就業壓力、保持經濟快速增長，必須在擴大內需的同時不斷拓展外需。而人民幣國際化的最終目標是成為國際儲備貨幣，做為儲備貨幣，人民幣必須能夠為其他國家提供國際清償力，這就要求中國國際收支必須保持逆差，否則其他國家將會斷絕人民幣儲備的來源。但是，國際收支長期保持逆差就意味著出口的減少和進口的增加，其結果必然會是外需的減少和國內部分市場的喪失，這對增加國內就業、保持國內經濟持續快速增長顯然會形成一定的負面效應。

第五，人民幣現金的跨境流動可能會使走私 賭博、

販毒等非法活動增加，而且這些非法活動中出現的不正常的人民幣現金跨境流動，一方面會影響中國金融市場的穩定，另一方面也會增加反偽幣、反洗錢工作的困難。

總之，在主權國家體制之下推進經濟全球化，中國將長期面對一些無法克服的內在矛盾，這些矛盾從根本上決定了出現國際金融動盪與危機的可能性。目前所能設計的國際貨幣體系總是存在缺陷，不存在一勞永逸、十全十美的國際貨幣制度安排。這是經濟全球化的代價，也是中國改革當今國際貨幣體系時需要預先知道的。當然，兩個悖論說的是對國際貨幣體系基本架構的制約條件，在基本架構之下，可以有所作為之處還是很多的。比如，推動經濟結構的平衡發展，制定嚴格的金融監管規則，提高民營企業和政府財政的資訊透明度，推廣恰當的國際會計標準和評審方法，促進良好的公司治理與穩健經營等等。

儘管一國貨幣國際化會為該國帶來種種消極影響，但從前面所言及的長遠利益來看，人民幣國際化為中國經濟帶來的利益，整體上遠遠大於其成本。美元、歐元等貨幣的國際化現實說明，擁有了國際貨幣發行權，就意味著將獲得制定或修改國際事務處理規則方面的巨大經濟利益和政治利益。

可以預見的是，在人民幣實現國際化的過程中，必然會引發一系列的積極與消極的影響。對於積極的方面，中國應該多加利用，而對於消極的方面，既然有些情況可以預見並且必然發生，就應該對這些因素都加以考慮，努力將消極的影響降到最低。既然人民幣國際化存在兩面性，那麼，在人民幣已經邁上國際化過程的今天，客觀認識人民幣國際化的這些利弊，才能未雨綢繆。

人民幣國際化還有多遠

中國國內關於人民幣國際化的呼聲，最早出現於上世紀 90 年代，但直到美國次貸危機全面爆發前，人民幣國際化並未真正成為中國政府考慮的選項。一般而言，只有已開發國家才有將本幣國際化的強烈動機，而中國仍是一個開發中國家，人均 GDP 水準和人均資源擁有量均相當低，而且中國政府長期以來奉行韜光養晦的對外策略，因此缺乏推動本幣國際化的強烈意願。

自 2008 年 9 月美國次貸危機演變為全球金融危機之後，中國政府對人民幣國際化的態度明顯由冷轉熱。越來越多的國家和政府不得不承認這樣一個事實，那就是人民幣已經提升到國際化的程度了。因為經濟的健康發展和穩定確保了人民幣的升值，頗具價值的人民幣正在大步邁向國際化。

2009 年 9 月 17 日，「歐元之父」羅伯特 · 蒙代爾表示，2011 年人民幣區域將會取代日圓成為世界上第三大貨幣區域。對於建立基於國際貨幣基金組織特別提款權的超主權貨幣的提議，蒙代爾認為，特別提款權是無法成為世界貨幣的，但可以往這個方向走。目前特別提款權的一籃子貨幣中應納入人民幣，且占比可達到 10%。

那麼，真如蒙代爾所說的 2011 年人民幣能成為第三大貨幣的話，人民幣離國際化目標還有多遠的路呢？事實上，人民幣國際化包括三層內容：第一，是人民幣現金在境外享有一定的流通度；第二，也是最重要的，是以人民幣計價的金融產品成為國際各主要金融機構包括中央銀行的投資工具，為此，以人民幣計價的金融市場規模不斷擴大；第三，是國際貿易中以人民幣結算的交易要達到一定的比重。這是衡量貨幣包括人民幣國際化的通用標準。也就是說，人民幣只有達到這些標準，才能稱得上真正實現了國際化。

2009 年 7 月 6 日，中國跨境貿易人民幣結算試點已經正式啟動。跨境貿易中採用人民幣進行結算，有利於降低匯率波動風險及相關匯兌成本，被視為人民幣國際化跨出的關鍵一步。就此，中國進出口銀行董事長李若谷認為人民幣已經「半國際化」。一方面，部分邊境貿易已經在用人民幣結算；另一方面，銀聯卡在國外很多地方可以使用，這也是以人民幣進行的貿易結算。

人民幣國際化是人民幣跨越國界，在境外流通，成為國際上普遍認可的計價、結算及儲備貨幣的過程。儘管目前人民幣境外的流通並不等於人民幣已經國際化了，但人民幣境外流通的擴大，最終必然導致人民幣的國際化，使其成為國際貨幣。

當前人民幣做為中國進出口貿易的結算貨幣，並不等於人民幣完全替代美元，還要看進出口企業對人民幣的認受度，還有未來人民幣匯率的穩定性。在資本帳戶沒有開放的背景下，人民幣不可自由兌換，中國的經濟實力和金融市場還不十分成熟，人民幣國際化還有很長的路要走。「接下來，人民幣國際化需要更多的政策支持。」中國進出口銀行董事長李若谷說，「政府應考慮允許外國購買中國國債和公司債券，這就涉及到資本帳戶開放的問題。」

因此，只有資本帳戶開放那一天到來，人民幣國際化才真的不遠了。

7
國際貨幣體系發展歷程

美國經濟學家羅伯特．所羅門（Robert Solomon）曾說過：國際貨幣體系「就像城市裡的紅綠燈一樣」。「一個功能完善的貨幣體系能為國際貿易和投資提供方便，能自然地適應各種變化；一個功能差的貨幣體系不但妨礙國與國之間的貿易和投資，而且在對各種變化做調整時，甚至會產生阻礙和推遲作用，引起影響經濟發展的動盪」。

人民幣是要在國際貨幣體系的框架下實現國際化，這是中國無法否定也擺脫不了的現實。再完備的國際貨幣體系都會有這樣或者那樣的問題，而中國所要做的是，在這樣的環境和這樣的遊戲規則中尋找自己的求生之道；每一種國際貨幣體系都會有輝煌與沒落的時候，而中國所要做的另一件事是，準確地預測體系改革的方向，大步地邁向自己的國際化之路。

要想預測國際貨幣體系的改革與發展前景，中國一定要做的一件事是，透過了解國際貨幣體系演變的歷程，尋找其內在的發展規律。

金本位時期

所謂「本位」，用中國通俗點的語言來講，就是「本來的地位」的意思，用於貨幣可理解成「掛鉤」之意，貨幣本位就是指貨幣與什麼掛鉤，代表什麼樣的價值，如金本位就是貨幣與黃金掛鉤的價值表現。下面就讓我們來看一下金本位時期，國際貨幣體系是如何誕生的。

國際貨幣體系的誕生

世界上最原始的國際間經濟交易其實是以物易物的貿易，在這種交易中實物既充當商品，又做為實物貨幣發揮著國際貨幣的功能。

實物貨幣，是在商品交換的長期發展過程中產生的最初貨幣形式，它被固定在某些特定種類的商品上。在中國，大致在新石器時代晚期開始出現以牲畜、龜背、農具等充當的實物貨幣。到了夏商周時期，實物貨幣主要是由布帛、天然貝等物充當。這種以貨易貨的方式，即使是在高度發達的現代國際經濟交易中，仍然可以偶爾看到。然而隨著社會生產力的發展，國際經濟交易的範圍和規模不斷擴大，實物貨幣逐漸無法滿足國際經濟交易的需要。

國家之間交易不斷擴大的需求，逐漸催生了國際貨幣體系。國際貨幣體系是為了適應國際貿易與國際支付的需要，各國政府對貨幣在國際範圍內發揮世界貨幣職能所確定的原則、採取的措施和建立的組織形式。隨著全球經濟一體化的過程，國際間貿易往來、債權債務以及資本轉移等經濟活動都涉及各國貨幣的兌換、匯率制度的變更、國際收支和國際儲備的管理原則等，這就需要一種貨幣體系來協調各個獨立國家的經濟活動。各國必須透過協商就上述問題達成協議，以便共同遵守這一具有國際性約束力的規則，並建立相應的管理機構，從而形成了國際貨幣體系。

馬克思曾說過，「貨幣結晶是交換過程的必然產物」，黃金即是這種歷史發展的產物。金本位制是世界上最早出現的國際貨幣制度，它是在各國普遍以黃金等貴金屬做為貨幣的基礎上形成的，所以研究國際貨幣體系，就要從金本位制度開始。

金本位制的三種發展形態

金本位制是以一定成色和重量的黃金做為本位貨幣的一種貨幣制度。所謂本位貨幣，是指做為一國貨幣制度基礎的貨幣，它是按國家法定的貨幣金屬和貨幣單位鑄成的貨幣。

那麼，為什麼各國貨幣都與黃金掛鉤呢？這是因為黃金具有質地均勻、體積小、價值高、總量無急劇變化等重要的自然屬性，比實物貨幣更適宜於在國際經濟交易中執行價值尺度功能、支付手段功能和貯藏手段功能。金的天然品質純正，雖說金無足赤，但相比於其他金屬可以說是近乎足赤了。金的質地均勻，且易於切割，再加上金的數量不多，難以開採，因而它的價值較高。隨著世界範圍內商品交換的發展，金也就成了最理想的世界貨幣了。

金本位制在發展過程中有三種不同的形態：金幣本位制、金塊本位制和金匯兌本位制。

金幣本位制又稱「金鑄幣本位制」，它是典型的金本位制。其主要特點是：以黃金做為本位幣的幣材，金幣具有無限法償權；金幣的名義價值與所含黃金的價值相等，金幣可以自由鑄造融化；銀行券可以自由兌換黃金；黃金可以自由輸出入境。

金塊本位制又稱「生金本位制」，其主要特點是：金幣仍是本位貨幣，但在國內不能自由流通，也不能自由鑄造；以銀行券代替金幣流通，但銀行券不能自由兌換金幣，只在國際支付或用於其他特殊需求時，可以按規定數量向中央銀行兌換金幣；黃金輸出輸入境完全由中央銀行控制，禁止私人輸出黃金。

金匯兌本位制又稱「虛金本位制」，其主要特點是：國家對紙幣規定含金量，但禁止金幣鑄造和流通；流通中的貨幣全部是可兌換的銀行券；銀行券不能兌換黃金；國家禁止黃金輸出入境，黃金輸出入境由中央銀行統一管理。

古典金本位制

古典金本位制是一種金幣本位制度，它是歷史上最重要的匯率體系之一。在這一體系中，參與國之間有一個固定的匯率。在 1880 ～ 1914 年間，金幣本位以其最純粹的形式占據著統治地位。在這一體系之下，大多數國家的貨幣都與黃金掛鉤，從而使國與國之間在金幣本位的基礎上建立了匯率體系。

在 19 世紀至 20 世紀初，世界上大多數國家相繼建立了金本位貨幣體系。英國是在 1816 年實行金本位制的；法國雖然是 1928 年正式實行金本位制，但在 1873 年限制銀幣自由鑄造時，就已經在事實上實行金本位制了；美國在 1900 年正式實行金本位制，但實際上在 1873 年也停鑄銀元；德國在 1871 年、日本在 1897 年都相繼實行了金本位制。未開發國家實行金本位制稍晚於已開發國家。埃及是未開發國家中最早實行金本位制的國家之一，那是在南非發現大金礦後的第二年，即

1885 年；墨西哥是 1904 年實行金本位制；印度到 1927 年才實行金本位制。

國際金本位制通過避免「第 N 種貨幣問題」克服了儲備貨幣本位制中天生的不對稱性。每個國家都將本幣與黃金掛鉤，規則要求每個國家都必須允許黃金不受任何阻礙地自由進出口，從而保證沒有一個國家擁有特權地位。

換言之，每個國家都必須平等承擔干預外匯的義務。而且，由於中央銀行必須固定其貨幣的黃金價格，因此，貨幣供給的增長不會比貨幣需求增長得更快，從而有利於確保物價的穩定。故而，古典金本位制常被比喻為「神話」。

在這裡沒有外匯匯率的問題，因為黃金是世界共同的貨幣。當然每個國家都發行自己的金幣，選擇不同的金幣單位。例如，當時英國的維多利亞女王選的是四分之一盎司的金量（英鎊），而美國的麥肯利總統選的是二十分之一盎司的金量（美元）。在這種情況下，英鎊的重量是美元的五倍，這就有個自然的匯率：5 美元對 1 英鎊。這是 1914 年以前金本位的基本情況。各國都傾向於用它們自己的金幣，但任何人都可以自由熔化金幣，然後按當時的金價出售。除了有些熔化、海上運輸和重新鑄幣的損耗，所有國家都按金本位的固定匯率交換，這個匯率由各國貨幣單位的含金量決定。

古典金本位制度的缺陷和不足

然而，古典金本位制運行的實際狀況並不總是像神話般完美。從理論上看，古典金本位制的運行必須滿足黃金可以自由兌換、自由鑄造和自由輸出輸入的基本規則。當上述規則被妥善遵守和執行時，古典金本位制的運行就較為平穩，就能有效促進金本位國家經濟的穩定增長，而當上述規則不能妥善被遵守和執行時，貨幣體系的穩定性就會受到影響。事實上，在古典金本位制度下，每個國家為了追尋本國利益最大化，曾使得貨幣體系一再發生動盪。

這方面的突出表現是，在古典金本位時期，多數國家難以或難以長期實行純粹的金本位制（金幣本位制）。比如，除英國和德國外，在古典金本位時期的 44 年裡，法國和美國分別實行了 36 年和 38 年（美國延續了 3 年）；智利和墨西哥只分別實行了 3 年和 8 年；阿根廷雖然實行了 25 年，但此期間卻兩次被迫放棄又恢復；巴西曾在實行 1 年後就被迫放棄，雖又恢復實行，但總共也只實行了 9 年。另外，印度、日本、墨西哥、中國、馬來西亞、泰國和秘魯等國主要實行銀本位制，而其他國家在大部分時間裡實行的則是金銀雙本位制或使用不可兌換的紙幣。

古典金本位時期一些國家的貨幣制度與 GDP

國家	貨幣制度類型	時期	人均GDP*
核心國：英　國	金　幣	1774～1797，1821～1914	4921
法　國	金　幣	1878～1914	3485
德　國	金　幣	1871～1914	3684
美　國	金　幣	1879～1917	5301
外圍國：阿根廷	金　幣	1867～1876，1883～1885，1900～1914	3979
巴　西	金　幣	1888～1889，1906～1914	811
智　利	金　幣	1895～1898	2653
埃　及	金　幣	1885～1914	732
印　度	金匯兌	1898～1914	673
墨西哥	金　幣	1905～1913	1732
菲律賓	金匯兌	1903～1914	1066
秘　魯	金　幣	1901～1914	1037

資料來源：轉引自 Vernengo（2003）。* 按照 1990 年美元價值折算。

（註：表中所謂核心國，是指那些在有關國際貨幣體系的諸多方面處於支配、主導和領導地位的國家，而外圍國則是那些處於從屬和被動地位的國家。金本位制時期的核心國包括英國、法國、德國和美國，而外圍國則主要包括阿根廷、巴西、智利、哥倫比亞、葡萄牙、義大利、西班牙、俄羅斯、埃及、奧匈帝國、希臘、印度、日本、墨西哥、中國、馬來西亞、泰國、菲律賓和秘魯等國。）

當一些體系內國家放棄或暫時放棄金本位制時，黃金自由兌換和自由流動的基本規則就不可能被完全遵守。另一方面，即使一國能夠維持金本位制，也可能由於其貨幣當局的政策操作而使黃金流動的自由性受到限制。對於黃金跨國流動的管理，當時的各國中央銀行常遵守一種「公認的遊戲規則」，即當黃金流出時，中央銀行應盡力緊縮銀根，從而使國內利率提高以吸引外國資金的流入，而擁有黃金淨流入的中央銀行則應售出「無息」黃金、購買國內生息資產，從而增加資本輸出和促使黃金外流。但是，如果中央銀行出於對國內經濟目標等因素的考慮而沒有遵從這一「遊戲規則」，黃金的輸出輸入就會「迷失方向」，從而給經濟帶來波動。

實質上，古典金本位時期的價格只是相對穩定，難以預測的價格波動仍然經常出現。例如，在 1870 ～ 1914 年間，儘管實行金本位制國家價格的上漲幅度低於第二次世界大戰後的時期，但各國國內價格水準仍然頻繁波動，並伴隨著通貨膨脹與通貨緊縮的交替發生。

由於傳統的金本位制貨幣供應受黃金數量的限制，不能適應經濟增長的需要，且金本位制下國際收支的自動調節機制也存在嚴重的缺陷，因此孕育了國際金本位制崩潰的必然性。1914 年第一次世界大戰爆發，參戰國實行黃金禁運和貨幣停止兌換黃金措施，紛紛放棄了金本位制。參戰國不兌現的紙幣在戰後大大貶值，發生了嚴重的通貨膨脹，匯率劇烈波動，對國際貿易和國際支付產生了嚴重的影響。

金匯兌本位制

在兩次世界大戰之間的 20 年（1919 ～ 1939 年）裡，國際貨幣制度安排經歷了頻繁的變動，大致可區分為一般浮動（1919 ～ 1925 年）金匯兌本位制（1926 ～ 1931 年）、管理浮動（1932 ～ 1939 年）。在這一時期，尤其是在金匯兌本位制時期，還出現了金塊本位制，但實行的國家並不多。一般認為，是經濟大蕭條的衝擊結束了金匯兌本位制，而第二次世界大戰的爆發最終終結了這個時期的不穩定的國際貨幣體系。

金塊本位制和金匯兌本位制

第一次世界大戰以後，隨著國際政治、經濟關係的發展，國際結算增多，各國越來越意識到黃金做為支付手段，攜帶實在不方便，因此各國政府都逐漸轉為使用信用貨幣。不過當時的信用貨幣仍是以金幣為本位貨幣，銀行券等各種信用貨幣可以自由兌換金幣或黃金。但由於大多數國家黃金儲備日益減少，這種制度無法再維持下去，到 20 世紀 20 年代，金本位制進入了一個新的階段，即金塊本位制和金匯兌本位制的階段。金塊本位制和金匯兌本位制都是由金本位制衍生出來的，是金本位制的兩個分支。

實行金匯兌本位制的國家，對貨幣只規定法定含金量，禁止金幣的鑄造和流通。國內流通紙幣，紙幣不能與黃金兌換，而只能兌換外匯，外匯可以在國外兌換黃金。本國貨幣與某一實行金塊本位制或金本位制國家的貨幣保持固定匯價，以存放外匯資產做為準備金，以備隨時出售外匯。

在金匯兌本位制度下，國家雖規定了貨幣的含金量，但流通中的貨幣是不能與黃金保持兌換的紙幣，黃金已不能發揮自發性調節貨幣流通的作用，貨幣流通失去了調節機制和穩定的基礎，從而削弱了貨幣制度的穩定性。因為，如果紙幣流通量超過了流通對貨幣的需要量，就會發生貨幣貶值。假如國家為彌補財政赤字而大量發行紙幣，就會引起通貨膨脹，導致物價上漲，影響經濟的發展。而且，實行金匯兌本位制度的國家，因其貨幣與某大國貨幣保持固定比價，所以其對外貿易和金融政策又必然受到與之相聯繫國家的貨幣政策之影響與控制。因此，金匯兌本位制度是一種被削弱了的、極不穩定的金本位制度。

在金塊本位制之下，國內不流通金幣，銀行券在一定數額以上才能按含金量兌換金塊。第一次世界大戰後，英國、法國、比利時、荷蘭等國曾相繼採用這種制度。如英國在 1925 年規定：銀行券兌現只能兌換淨重 400 盎司的金塊。這是一種殘缺不全的金本位制，很不穩定，實行不過幾年，就在 1929 年的世界經濟危機後崩潰了。

黃金嚴重短缺

這一時期，很多國家的貨幣當局開始更頻繁地透過外匯市場操作，來對沖由於黃金流動而對國內貨幣環境所造成的影響（當時的英、法、美、德等關鍵國家的貨幣當局均不同程度地表現出這種傾向），從而使得黃金的可兌換性在很大程度上失去了「自由」。另外，黃金短缺導致各國國際儲備中黃金占比大幅下降。在金匯兌本位時期，除英國、美國以及後來的法國之外，其他體系內國家均以金塊和外匯的形式持有自己的儲備，從而使得中央銀行相對於黃金基礎的負債率上升，這減弱了黃金自由流動的紀律性。由於負債率的上升增加了對沖操作的可能性，使金本位成員國貨幣政策的可信度較第一次世界大戰前大幅下降。

在這一時期，黃金短缺主要反映在黃金真實價格的下降上，金本位是在黃金真實價格被嚴重低估的水準上得以恢復的，當時的黃金價格只相當於第一次世界大戰前的 35%～ 40%。而黃金的短缺以及分布的不均衡，則導致一些關鍵國家不協調的平價關係和失當的貨幣政策。黃金的嚴重短缺還導致了短期資本流動不穩定，並伴隨著全球性通貨緊縮。

在古典金本位時期，英國和英鎊居於絕對的支配地位。但在金匯兌本位時期，英國的支配地位急劇下降。第一次世界大戰之後，美國所持有的儲備黃金在全球儲備黃金總量中的占比最高（超過 40%），而包括英國在內的其他國家所占比例都相對很小。美國的經濟總量甚至超過了英、法、德之和。英國長期的國際收支逆差和黃金外流，使英鎊的信譽和穩定性受到很大影響。從貨幣制度看，當時只有美國有能力實行金本位制，而包括英國在內的其他國家只能實行金塊本位制或金匯兌本位制。這標誌著英國和英鎊在國際貨幣體系中的核心地位基本上已經喪失。但由於貨幣制度和貨幣關係具有很強的歷史延續性，因此英國和英鎊在國際貨幣體系中依然具有相當的影響力。總體上，在金匯兌本位時期，英鎊和美元的地位已相當接近，基本上處於平等競爭和相互替換的狀態。

初期的美元本位制——布列頓森林體系

在第二次世界大戰結束之前，美、英兩國為了改變當時國際貨幣體系的混亂局面，從各自的利益出發，分別提出了「懷特方案」和「凱恩斯方案」，分別代表了美、英兩國的政治、經濟利益。最後，美國憑藉著它的強大實力，迫使英國放棄國際清算同盟而接受「懷特方案」。

1944 年 7 月 1 日，在美國新罕布夏州布列頓森林召開的有 44 國參加的「聯合與聯盟國家貨幣金融會議」上通過了以「懷特方案」為基礎的「國際貨幣基金協定」和「國際復興開發銀行協定」（合稱為「布列頓森林協定」），這標誌著布列頓森林體系的建立。也有文獻認為，這一體系的存在時期應是從 1946 年 6 月起到 1971 年 7 月結束。而且，在布列頓森林體系所經歷的 25 年時間裡，也不能將固定匯率制視為其基本特徵。在其前期（1946 ～ 1958 年，可稱為「前可自由兌換階段」），匯率制度特徵更接近於其設計者所構想的可調整的固定匯率制；在其後期（1959 ～ 1970 年，可稱為「可自由兌換階段」)，匯率制度更接近於實質上的固定美元本位制。換言之，布列頓森林體系名義上以黃金為基礎，但從一開始它實質上就是一個「黃金—美元體系」，當1968 年創立雙價制黃金市場後，該體系成為真正意義上的美元本位體系。

1945 年，布列頓森林體系的管理機構——國際貨幣基金組織和國際復興開發銀行（世界銀行）先後創立。尤其是國際貨幣基金組織，其創立之初的宗旨便是監管成員國的經濟政策，並為國際收支逆差國拓展融資管道，以確保體系的正常運行。

雙掛鉤制度

布列頓森林體系實行「黃金—美元本位制」，通俗地講，就是雙掛鉤制度。所謂雙掛鉤就是：一方面，美元與黃金直接掛鉤，根據布列頓森林體系的協議，各國政府接受 1934 年美國政府規定的 1 盎司等於 35 美元的黃金官價，即 1 美元的金平價為 0.888671 克黃金。另一方面，協議還規定，以美元的含金量做為各國規定貨幣評價的標準，在此基礎上確定各國貨幣與美元的匯率；各國貨幣對美元的匯率一般只能在平價正負 1%的幅度內波動，各國政府有義務將其貨幣匯率波動維持在規定的幅度內。各國貨幣平價的任何變動都要透過國際貨幣基金組織，只有當一國的國際收支發生了根本性失衡時，才允許進行官方貨幣升值或貶值。

設計這一規則的目的在於發揮黃金貨幣的作用，以實現世界價格總水準的穩定和貨幣體系的穩定。可以認為，在這一時期黃金仍是理論上的本位貨幣。但是，由於美元在這一貨幣關係中處於樞紐位置，各國貨幣必須與美元保持一種可調整的固定匯率關係，因此，美元就成了實際上的本位貨幣。而且，與黃金相比，美元顯然處於劣幣的地位，所以，按照「葛氏定律」（Gresham's Law，這是一條經濟法則，也稱「劣幣驅逐良幣法則」，意為在雙本位貨幣制度的情況下，兩種貨幣同時流通時，如果其中之一發生貶值，其實際價值相對低於另一種貨幣的價值，則實際價值高於法定價值的良幣將被普遍收藏起來，逐步從市場上消失，最終被驅逐出流通領域，而實際價值低於法定價值的劣幣將在市場上氾濫成災），市場上的黃金必然越來越少而美元卻越來越多。因此從結果看，這一規則客觀上促成了美元的霸權地位。

特里芬難題

在美元成為貨幣霸主的同時，也面臨著一個難解之題。布列頓森林體系是建立在「黃金—美元」基礎之上的，美元既是一國的貨幣，又是世界貨幣。做為一國貨幣，美元必須受制於美國的貨幣政策和黃金儲備；做為世界貨幣，美元的供應又必須適應世界經濟和國際貿易增長的需要。於是美元便出現了一種進退兩難的狀況：為了世界經濟和國際貿易的增長，美元的供應必須不斷地增加，而美元的供應不斷增加會使美元對黃金的兌換性日益難以維持。美元的這種兩難問題，是美國經濟學家特里芬於 20 世紀 50 年代首先預見到的，故又稱為「特里芬難題」。特里芬指出了布列頓森林體系的內在不穩定性以及危機發生的必然性，後來發生的事實證明了特里芬觀點的正確。

布列頓森林體系的衰敗乃至於瓦解的過程，就是美元危機爆發——拯救——再爆發……，直至布列頓森林體系崩潰的過程。布列頓森林體系下的美元危機，是指美元按固定比價與黃金保持兌換性的危機，簡稱「兌換性危機」，或指因人們懷疑美元的兌換性而引發的拋售美元之危機，又稱「美元信心危機」。在經過三次的危機以及拯救之後，當時的美國總統尼克森不得不於 1971 年 8 月 15 日宣布實行「新經濟政策」，停止美元與黃金的兌換。

當時，國際金融市場極度混亂。1971 年 12 月 18 日，10 國集團在華盛頓舉行祕密談判，達成一項妥協方案——「史密森學會協議」(Smithsonian Institute Agreement，又稱「華盛頓協議」)。此協議下的匯率調整，是國際貨幣體系從布列頓森林體系走向牙買加體系的一個轉捩點，也是儲備貨幣多樣化時代的正式開始。但 1973 年 2 月，外匯市場上再度爆發的美元危機使該協議壽終正寢，也標誌著布列頓森林體系的徹底崩潰和現行國際貨幣體系的開始。

美元本位時代的到來——牙買加體系

布列頓森林體系崩潰之後，國際貨幣金融關係處於動盪混亂之中，美元的國際地位不斷下降，匯率波動劇烈，一直到 1976 年 1 月國際貨幣基金組織國際貨幣制度臨時委員會達成「牙買加協定」，同年 4 月，國際貨幣基金組織理事會通過「國際貨幣基金協定第二次修正案」，才逐漸形成現行的貨幣制度格局。

無體系的體系

有人稱當前的國際貨幣體系為「牙買加體系」。但也有人認為，該體系既沒有明確的本位貨幣，也沒有統一的匯率安排，各國的相關行為難以得到有效約束，因此認為當前的「國際貨幣體系」不能被稱為體系，即「無體系」。無論如何界定，不可否認的是，美國和美元在其中還是發揮了主導性的作用，因此，也有人稱之為「後布列頓森林體系」。

1976 年制定的「牙買加協定」主要內容包括：1. 允許浮動匯率制存在，會員國可以自由做出匯率方面的安排。2. 廢除黃金官價，實行「黃金非貨幣化」，使黃金與貨幣完全脫離關係，讓黃金成為一種單純的商品。3. 在未來的貨幣體系中，應以特別提款權做為主要的儲備資產，設想把美元本位改為特別提款權本位。

牙買加體系的特徵

與以往的國際貨幣體系相比，現行體系有著獨特而鮮明的基本特徵。首先，黃金退出了貨幣領域，使得現行體系成為國際貨幣史上第一個以純粹的信用貨幣為本位貨幣的國際貨幣體系。其次，首次明確匯率自由浮動的合法性以及操縱匯率的非法性。可是，由於要界定某一行為是否屬於操縱匯率行為極為困難，因此，各國的匯率政策行為實質上難以受到有效制約。除此以外，現行體系的另一個突出特徵是，貨幣與匯率管理呈現出越來越明顯的聯合管理和集團化管理傾向。20 世紀 70 年代末倡導建立的歐洲貨幣體系（EMS）、1999 年歐元的誕生、近年來日益發展的東亞貨幣合作以及其他區域性貨幣合作的發展，都表明了這種國家集團化管理和聯合管理的趨勢。

但是，在牙買加體系下，全球的匯率體系極不穩定。全球有三分之一的國家實行獨立浮動或管理浮動匯率制，其餘三分之二的國家實行固定匯率制。只要做為主要儲備貨幣的美元、日圓、德國馬克、英鎊和法國法郎這五種貨幣穩定，特別提款權和歐洲貨幣單位也就穩定了。但由於主要工業國家基本上實行浮動匯率制，大多數發展中國家採取固定匯率制，而大國往往只顧及自身利益地獨立行事或聯合起來改變匯率，因此使盯住它們貨幣的開發中國家，無論自己經濟狀況好壞，都不得不隨之重新安排匯率，承受了額外的外匯風險。

不僅如此，布列頓森林體系崩潰之後，北美、歐洲國家和日本等開始放鬆對本國金融機構的管制，資本帳戶也更加開放，金融自由化程度逐步提高。20 世紀 70 ～ 80 年代，跨境資本在這些國家之間的流動規模穩定增長。90 年代以來，隨著新興市場經濟體和轉型經濟體的迅速發展，更多的國家加入了金融自由化的行列，這進一步促進了實體經濟全球化和金融全球化的發展，使各種跨境投資和金融交易的規模越來越大。在許多國家市場基礎設施和保障措施尚不完善、國內金融體系尚不健全的情況下，這些變化為金融危機的爆發創造了條件。

金融危機與國際貨幣體系

相關資料顯示，自 20 世紀 70 年代以來，金融危機頻頻爆發。開始主要表現為拉丁美洲債務危機，對拉丁美洲國家的銀行體系造成了衝擊；80 年代初期，智利和摩洛哥遭遇金融危機；80 年代末，美國儲蓄與貸款協會遭受金融危機的打擊；90 年代初，瑞典、芬蘭、挪威以及一些轉型經濟體也爆發了金融危機；1994 ～ 1995 年，危機席捲委內瑞拉、巴西和墨西哥;1997 年，多個東亞國家先後爆發了金融危機；1998 年，俄羅斯的債務危機甚至波及到遙遠的巴西。據世界銀行統計，20 世紀 80 年代共發生了 45 起系統性的重大銀行危機；90 年代，重大銀行危機增至 63 起。頻繁發生的銀行危機和金融危機，對世界經濟尤其是開發中經濟體和小型出口型經濟體的穩定構成了極大威脅。而從 2007 年開始颳起的次貸危機旋風，應該說也與這種國際貨幣體制相關聯，可以認為，正是這種高度自由化的、過度開放的體制，才導致了美國債務危機及其對全球經濟的衝擊。

從以往的歷史看，每當出現一次國際貨幣體系的調整，往往就意味著一種國際貨幣的沒落與另一種國際貨幣地位的上升。每當出現國際貨幣危機時，對有些貨幣來說是禍，對有些貨幣來說卻是福。除了黃金之外，英鎊、美元、德國馬克、日圓以及後來出現的歐元等紙貨幣，都是在這幾次重大的調整中不斷地改變地位，有的從冉冉升起的明星變成明日黃花，有的從小角色一躍成為主宰世界經濟的大頭目。

其實，至今沒有一種國際貨幣體系能夠解決不斷產生的各種危機，每種制度在應對當時經濟狀況的同時，不可避免地有其弊端與局限，我們應該理性地認識這一點。即使未來產生新的國際貨幣體系，也只能在一定的時期內在世界經濟中產生主導作用，而不可能出現一種能夠解決所有問題且一勞永逸的制度。這些經驗教訓對於人民幣未來的發展來說，都有很好的學術探討及實踐借鑑的意義。

目前，各國都想參與新的國際貨幣體系構架，因此未來國際貨幣體系的重建有多種可能的模式。但是國際本位貨幣本身的集權要求和統一性要求，實際上不允許過於民主，至少在執行中要集權，否則沒有約束力。另一方面，真正重建和構架的結果不是靠討論，而是靠經濟和政治實力產生的。

問題重重的現行國際貨幣體系

中國人民銀行行長周小川在 2009 年 3 月撰文說：此次金融危機的爆發與蔓延，使我們再次面對一個古老卻懸而未決的問題，那就是什麼樣的國際儲備貨幣才能保持全球金融穩定、促進世界經濟發展。歷史上的銀本位、金本位、金匯兌本位、布列頓森林體系，都是力圖解決該問題的不同制度安排，致力於解決該問題也是國際貨幣基金組織成立的宗旨之一。但此次金融危機表明，這一問題不僅遠未解決，反而還由於現行國際貨幣體系的內在缺陷越演越烈。

體制的無奈

如今的問題在於，在世界金融發展得如此迅速的今天，主管國際金融事務的國際機構到底能否勝任「家長」的角色？這個機構到底是在公平地為每個國家說話，還是仍然對少數國家言聽計從？這些是國際貨幣體繫在現實中遇到的大問題。

我們知道，國際貨幣體系具有三方面的內容和功能：一是規定用於國際間結算和支付手段的國際貨幣或儲備資產及其來源、形式、數量和運用範圍，以滿足世界生產、國際貿易和資本轉移的需要；二是規定一國貨幣與其他貨幣之間匯率的確定與維持方式，以保持各國際貨幣間的兌換方式與比價關係的合理性；三是規定國際收支的調節機制，以糾正國際收支的不平衡，確保世界經濟穩定與平衡發展。

國際貨幣體系 100 多年來的演變歷史，實質上是國際貨幣形態和匯率制度的變化過程。國際貨幣形態的更替反映了經濟霸權力量轉移和世界經濟格局的變化。匯率制度變化從固定走向浮動甚至無序，既反映出世界各國對於穩定貨幣秩序的渴求，也反映出各國特別是大國之間利益矛盾的不可調和性。這樣的矛盾還將在未來的國際貨幣體系演變中持續下去。

目前，在次貸危機的影響之下，美元一路貶值，而在利益和責任不對等的條件下，美元的國際貨幣地位使得其他國家和地區無法控制風險，尤其是包括中國在內的新興市場經濟體面臨著諸如危機轉嫁、貨幣錯配、貨幣政策兩難困境等風險。這引起了更多人對美元地位和現行國際貨幣體系變局的思考。

做為主權國家的美國發行的美元，需要同時承擔兩個經常相互衝突的職能——調整內部經濟的失衡和調整外部經濟的失衡。當前的情形就是最好的例子。金融危機爆發後，為了拯救和刺激經濟，美國採取了幅度罕見的擴張性貨幣政策和財政政策，這使人們普遍擔心美元將迅速貶值。如果美國鉅額預算赤字進一步擴大，同時美國聯準會繼續推動寬鬆的貨幣政策，那麼，人們對美元前景的憂慮將進一步加深，因為美國調整國內經濟失衡的舉措將加劇全球經濟失衡，後者反過來將引發和加劇當前的經濟衰退。此外，美元的進一步貶值，也將導致全球經濟財富朝向有利於美國而不利於外匯存底大國的方向再分配。

可以說，這是制度造成的。如前所說，牙買加體系無本位貨幣及其適度增長約束，無統一的匯率制度，也無國際收支協調機制，其實質是國際放任自由制度，因而被稱為「無體系的體系」。「牙買加協定」允許成員國自由做出匯率安排，它們既可以繼續實行固定匯率制，也可以實行浮動匯率制，還可以實行盯住某一種主要貨幣或一籃子貨幣的匯率制度，或實行有管理的浮動匯率制度等。

但這也引發了全球匯率體系的不穩定，多種匯率制度並存，加劇了匯率體系運行的複雜性，匯率波動和匯率戰不斷爆發，助長了國際金融投機活動，金融危機風險大增。尤其是在「中心—外圍」匯率制度架構下，經常會出現大國侵害小國利益的行為，使已開發國家和開發中國家之間的利益衝突更加尖銳和複雜化。

決策機制的重大缺陷

在現行的國際貨幣體系下，美國對全球經濟的貢獻率與其承擔的國際貨幣的主導地位失衡。布列頓森林體系確立了美元的霸主地位，雖然在 60 多年後的現在，美國實體經濟在全球經濟中的比重已經大幅度下降，但美元依然占據著國際貨幣體系的霸主地位。這實際上確保了美國聯準會享受世界中央銀行的地位和權利，它有權向世界提供任何數量的流動性，卻沒有承受任何世界中央銀行的責任和約束。美國 GDP 占全世界 GDP 的比重只有 30%左右，但美元儲備資產占全部儲備資產的比例長期以來一直穩定在 60%以上，而中國經濟占世界經濟的比重近 6.85%，人民幣卻未被納入國際儲備貨幣。所以，國際儲備貨幣在幣種上仍然傾向於美元。從全球外匯交易情況來看，美元也是國際上最主要的交易貨幣。

另外，整個貨幣體系的決策機制存在重大缺陷。現行的國際貨幣體系仍是建立在少數發達國家利益基礎上的制度安排，體系中缺乏平等的參與權和決策權。在國際貨幣基金組織裡，所有開發中國家的投票權只占39%多一點，而美國一個國家就有 16.7%的投票權。國際貨幣基金組織規定任何一個重要決議都要獲得 85%的投票權的通過，也就是說美國有單國否決權，所有的歐盟國家加起來也有 30%以上的投票權。因此國際貨幣基金組織做為世界中央銀行，除了存在資本不足、權威性不夠等問題外，其投票權與結構設計亦不合理，不但美國具有否決權，而且歐洲做為一個整體，其投票權大於包括美國在內的所有成員，實際上也握有否決權。這樣就使得國際貨幣基金組織不可能通過任何不利於美、歐利益的決議，而且也使國際貨幣基金組織對美、歐幾乎不具備監督和約束的能力，導致國際貨幣基金組織和世界銀行兩個國際型組織對國際貨幣體制、國際經濟的監管形同虛設。

目前，國際貨幣體系最現實的危機就是，直接支撐美元和歐元的主要是虛擬經濟，而不是其實體經濟。美元國際本位貨幣的直接支撐，是其債券和其他金融資產，美國債券市場餘額有 27.4 兆美元，境外債務 13 兆美元。美國當前金融危機的根源在於其虛擬經濟的過度膨脹，因此它將虛擬經濟的不穩定性帶給了美元和整個世界貨幣體系。歐元也與美元類似，以歐元計價的國際債券高達 11 兆美元，但它更大的問題是歐元區的經濟和政治摩擦帶給歐元許多不穩定因素。由於做為美元和歐元直接支撐的虛擬經濟不穩定，以美元和歐元為主要貨幣的國際貨幣體系就一定會不斷處於動盪不安的狀態，而更令人擔憂的嚴重問題是，至今沒有看到美國和歐元區有削減其虛擬經濟，或者哪怕是停止虛擬經濟擴張的措施出爐。

這就是說，要嘛歐元區和美國經濟實體化，要嘛必須有新的力量將更多實體經濟的因素帶進國際貨幣體系，否則就沒有可能修改或重建國際貨幣體系。然而，要重整實體經濟，就意味著美國和歐盟必須降低現有的生活品質，與中國等新興國家展開競爭，對歐、美來說，這與削減虛擬經濟一樣難以操作。

透過以上關於現行國際貨幣體系的運行、新特徵以及內在缺陷的分析，我們可以明確地看到，現行國際貨幣體系正面臨著前所未有的挑戰。而現有國際貨幣體系的不穩定必將呼喚一個新體系的誕生，無論這個新體系是怎樣的模式，它肯定是世界政治、經濟實力和權力、利益較量的結果。

國際貨幣體系改革方向

從歷史的角度看，國際貨幣體系的發展，是與人類經濟發展和科學技術的發展密不可分的，它是一個不斷完善的過程。人類的智慧會不斷提升人類社會管理自己的能力，這種能力的重要表現之一，就是建立起更為符合世界經濟發展要求的貨幣體系。

歷史上人類的貨幣體系經歷了從商品本位（貝殼等）到金本位再到信用本位（貨幣）的發展過程，也就是說，貨幣體系由實物本位向非實物本位發展。而隨著這樣的發展，國際貨幣體系也從「有體系的體系」（實物本位）向「無體系的體系」（非實物本位）發展。在探尋國際貨幣體系改革方向之前，先讓我們了解一下以紙幣為代表的信用本位，為何能夠取代以黃金為代表的實物本位。

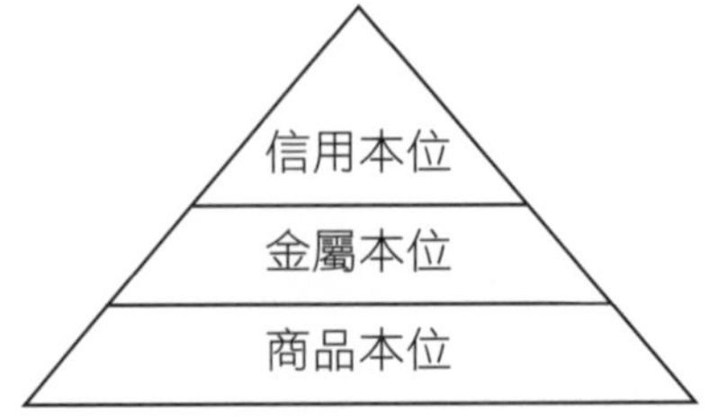

紙幣本位制的形成

根據「面紗論」，兌換貨幣是蒙在實物經濟上的一層面紗。這種觀點認為貨幣做為一般等價物的作用是促進商品交易，在商品交易結束後，貨幣也就失去了作用，因而這種一般等價物可以僅僅是一種貨幣符號，而不必是內在價值與交易物相等的商品。正因為如此，才使得不足值的信用貨幣得以大行其道，使得我們進入了不兌現的信用貨幣體系。

根據歷史發展來看，由於貴重金屬數量有限，黃金生產量的增長幅度遠遠低於商品生產增長的幅度，黃金不能滿足日益擴大的商品流通需要，這就極大地削弱了金鑄幣流通的基礎；同時貨幣黃金的供應不穩定、不平衡，黃金存量在各國的分配也不平衡。例如，1913 年年底，美、英、德、法、俄五國即占有世界黃金存量的三分之二。黃金存量大部分為少數強國所掌握，必然導致金幣的自由鑄造和自由流通受到破壞，削弱其他國家金幣流通的基礎。加之第一次世界大戰爆發後，黃金被參戰國集中用於購買軍火，並停止自由輸出和銀行券兌現，最終導致了金本位制的崩潰。

從政府的立場出發，由於使貨幣不足值可以使政府賺取鑄幣稅，因而促使了具有雄厚實力的國家政府傾向於發行紙幣代替金屬貨幣。

上述原因造成了第二次世界大戰後，在布列頓森林體系中美元攫取世界貨幣霸權地位，以及在布列頓森林體系瓦解後紙幣本位制的形成與發展。

如前所說，現行國際貨幣體系實際上是一個「無體系的體系」。在這一體系下，黃金已經退出了本位的地位，而美元在布列頓森林體系崩潰以後也不再是規定的本位貨幣，雖然在現實中它依然在一定程度上擁有本位貨幣的地位。現行體系實際上是一個以純信用貨幣為本位貨幣的國際貨幣體系。

信用貨幣的發展

信用本位制最大的缺陷即是缺乏穩定性，尤其是在現行國際貨幣體系下，這種不穩定性對世界經濟的衝擊更加明顯。這主要表現在：一方面，黃金非貨幣化，浮動匯率合法化，各國擁有匯率安排自主權，匯率不再穩定；另一方面，現行國際貨幣體系的制度缺位，使整個國際金融市場缺乏有效約束，造成了國際金融市場發展的不穩定。

從長遠來看，國際貨幣體系終將從「無體系的體系」朝「有體系的體系」發展。這個世界就像是一個大家族，原先還是長幼有序，只是經過一陣的家庭紛爭以後家族成員各行其是。然而一家人畢竟存在共同的利益與感情，於是在經歷了一段混沌期之後，喧囂會靜下來，家族會痛下決心制定出一套更加完善的維繫成員和睦關係的制度。對於國際貨幣體系來說，這個制度應該既不是一個世紀前盛行的金本位制，也不是如今盛行的信用本位制。這個更加完善的制度或許可以稱為超信用本位制，而這個制度的終極目標就是實現「同一個世界同一個貨幣」的構想。

然而從目前來看，當今貨幣體系的以貨幣做為信用本位的制度並未走到盡頭，相反，信用本位還處在初級階段，這個制度還將經歷更多的風雨考驗。因此，對於中國來說，目前最重要的是在信用本位制體系下找到規律、適應規律、利用規律，使得人民幣能夠成為下一個信用本位制階段的「領導者與佼佼者」。

那麼這個規律到底是什麼呢？其實前面我們已經提到，現有的以美元與歐元主導的國際貨幣體系已不能繼續維持，其原因，一是由於美國經濟的去工業化和經濟虛擬化，使美國不再有力量獨立支撐國際貨幣體系；二是歐洲經濟也已經虛擬化，同時其實體經濟也存在很大問題，所以歐元也不可能支撐現行國際貨幣體系。無論怎樣聯盟，都無法阻止國際貨幣體系危機在未來的進一步發展。所以，我們要找的這個規律就是：在信用本位制中，國際貨幣體系中主導貨幣的這副天平終將向實體經濟傾斜。

讓我們來回顧一下幾個世紀以來國際貨幣體系的變遷。自從工業革命在英國取得巨大成功之後，英鎊在世界貨幣體系中占據了關鍵的地位，那是由於當時英國在世界工業的發展中處於頂峰位置，實體經濟發展規模與速度都是別的國家所望塵莫及的。美國的情況也相似，只不過美國是在兩次世界大戰中迅速發展了工業，特別是軍事工業以及高科技工業，這讓美國站在了世界實體經濟發展的頂端，因此美元在後來成為國際上難有比肩者的優勢貨幣。再看看日本，雖然是當時的戰敗國，但從上世紀 60 年代起日本開始迅速發展工業，成為當時的工業強國、製造業大國，於是日本迅速展開了日圓國際化的攻勢……。

因此，隨著危機的進一步加深，美國和歐洲最終會意識到只有人民幣才會將中國實體經濟的穩定性帶給國際貨幣金融體系。但由於國家間利益的角力，這些國家為保全本國貨幣的國際地位與既得利益，必然是不希望人民幣很快成為它們的競爭對手的。

國際貨幣體系要怎麼改？

現實情況是，從地緣上說，世界存在三大經濟區域：美國、歐洲和亞洲。從經濟總量上看：亞洲最大，歐洲次之，美國最小。但是，從金融方面看：則是美國最強，歐洲次之，亞洲最弱。如果再具體落到國際貨幣和國際儲備方式上，問題更為嚴重。迄今為止，在國際經濟往來中，亞洲國家面臨的最大問題就是，自身規模巨大的產品和勞務的出口，以及日益增加的資本的流入和流出，無論是計價還是實際的移轉，都必須以美元和歐元為依歸。於是，匯率穩定與否，就永遠是這些國家（地區）的宏觀調控難以迴避的持續挑戰。既然涉及匯率，就免不了要時時謹慎地處理與美國和歐洲之間的關係，在這個過程中，免不了要仰人鼻息，而且常常遭受無端指責。匯率始終是亞洲國家（地區）所面臨的主要問題，從根本說來，就是亞洲國家（地區）在對外貿易和國際資本流動中、在國際經濟體系和國際貨幣體系中是否有發言權的問題。

對於未來的國際貨幣體系改革，有人建議增加開發中國家在國際貨幣體系中的發言權。當前國際貨幣基金組織的投票權與占比的分配不盡合理。一方面，基礎投票權的作用已經名存實亡，讓位於金錢決定的投票權。國際貨幣基金組織成立至今，投票權的總量增加了37倍，而基礎投票權卻從原來的11.3%下降到2002年的2.1%，已失去了其原來的功能。另一方面，做為投票權分配基礎的基金占比也不能反映當前國際格局的發展變化，突出表現為已開發國家在決策機制中占主導地位，而中國、巴西等開發中國家經濟實力的增長，未能在基金占比中得到應有的表現。因此，必須重新分配基金占比，擴大基礎投票權，增加開發中國家投票比重，建立兼顧各方利益主體的金融體系。

有人建議要更為充分地發揮特別提款權的作用。這種想法在理論上堪稱完善，也符合國際貨幣基金組織創設特別提款權的初始願望。但是，30多年來的實踐顯示，在全球經濟由少數發達國家主宰的局面難以改變的條件下，希冀在技術上創設一種與各國的經濟實力相脫離，並剝奪已開發國家主導權的新記帳單位、交易手段、支付工具和儲備資產，是不太現實的。特別提款權的創設和分配，一直受到以美國為首的已開發國家的反對和阻撓，再明確不過地顯示了其中的利害關係。

實際上，這些建議並不是完全不可行，但是已開發國家，或者說這些既得利益者，並不可能主動放棄權利去為開發中國家考慮。而且不得不說，國際貨幣基金組織本身就是一個為已開發國家實現其霸權服務的機構，想要在體系之內實現根本的變革，無異是叫已開發國家拿石頭砸自己的腳。

還有人主張恢復金本位。如今，美元的持續貶值，使得大量持有美元資產的國家和地區蒙受鉅額損失，致使投資者蜂擁而起購買黃金以期保值。這種狀況喚起了人們對金本位的回憶，似乎也順理成章。然而，我們千萬不能忘記，金本位是人類歷史上曾經產生過的比較野蠻的貨幣制度，它使得人類的社會活動受到分布不均、產量有限而且被少數大亨的錢袋左右的冰冷物品之限制，並且使人們陷入拜物主義的境地。其實，只要了解上世紀 60 年代末到 70 年代，世界各國的貨幣制度是如何艱難地擺脫黃金束縛並獲得其現代形式的，便可以知曉，恢復金本位既不可行，也更難使開發中國家擺脫已開發國家和少數富人的控制。

中國是世界上最大的開發中國家和實體經濟大國，新的國際貨幣體系需要人民幣將中國穩定的實體經濟帶進國際貨幣體系中。中國要進入大國行列，推進人民幣的國際化也勢在必行。中國的 GDP 總量世界第三（占比約為 7%），國際貿易總量世界第三（占比為 7.7%），而國際貨幣體系中人民幣占比卻不到 1%，這對世界和中國都是一種不對稱、一種失衡。在金融危機發生以後，多個國家都寄希望於中國。既然國際貨幣體系改革勢在必行，中國必須及早準備和實施人民幣國際化的方案，以積極的姿態盡快融入到國際貨幣體系中去。

2009 年 9 月 2 日，國際貨幣基金組織總裁多明尼克・史特勞斯・卡恩與中國人民銀行副行長易綱簽署了一份協議，同意由中國人民銀行購買不超過 500 億美元的國際貨幣基金組織債券。這是國際貨幣基金組織第一次發行債券，中國也是第一個簽署債券認購協議的國際貨幣基金組織成員國。此次發行的國際貨幣基金組織債券為五年期，透過特別提款權的方式進行發放，利息將分季度發放。2009 年 9 月 24 日至 25 日，在美國匹茲堡召開的 G20 金融峰會上，中國財政部部長助理朱光耀表示，中國希望 G20 採取行動，將開發中國家在國際貨幣基金組織和世界銀行中的投票權均提高至 50%。事實上，透過一系列的努力，中國在國際貨幣體系改革中已發揮越來越大的作用。

8

超主權貨幣

「人們將不可避免地要想到創造一個通用的國際貨幣，或重新　用黃金，或組建大型貨幣區。」2000 年，「歐元之父」蒙代爾在題為「新千禧年的國際貨幣體系」的演講中，談及當時以美元為主導的國際貨幣體系前景時說道。

2009 年，倫敦 G20 金融峰會前，中國人民銀行行長周小川發表文章，提出了改革國際貨幣體系、建立超主權貨幣的建議。

歐洲早就在試圖改變國際貨幣體系，已經正式使用 10 年、覆蓋歐元區 16 個國家的歐元，就是這種努力的結果之一。

「網路上有一種虛擬貨幣，它既不是銀行發行的，也不是用現實貨幣購買的，它是網友們自身信用和長時間掛網的結晶。」有網友戲稱這種虛擬貨幣為「超主權貨幣」。

那麼，到底什麼是超主權貨幣？它又有著怎樣的前世今生呢？

周小川三篇文章發起「春季攻勢」

「春季攻勢」

2009 年 3 月底，在倫敦 G20 峰會召開前夕，中國人民銀行行長周小川在一週之內接連發表了三篇文章，引發了外界的爭論與思考。三篇文章一篇比一篇犀利，直指當前國際貨幣體系的弊端，向世界發出了中國的聲音。

3 月 23 日，周小川發表「關於改革國際貨幣體系的思考」，從四點分析當前貨幣體系：一是此次金融危機的爆發並在全球範圍內迅速蔓延，反映出當前國際貨幣體系的內在缺陷和系統性風險；二是創造一種與主權國家脫鉤並能保持幣值長期穩定的國際儲備貨幣，從而避免主權信用貨幣做為儲備貨幣的內在缺陷，是國際貨幣體系改革的理想目標；三是改革應從大處著眼，小處著手，循序漸進，尋求共贏；四是由基金組織集中管理成員國的部分儲備，不僅有利於增強國際社會應對危機、維護國際貨幣金融體系穩定的能力，更是加強特別提款權作用的有力手段。

3 月 24 日，周小川發表「關於儲蓄率問題的思考」，探討影響儲蓄的因素，分析造成東亞和產油國較高儲蓄率及美國低儲蓄率的原因，簡要介紹了中國儲蓄率的變動情況及調整思路，並提出調整儲蓄率的可能選擇。文章最後指出應繼續推進國際貨幣體系改革。

3 月 26 日，周小川發表「關於改變宏觀和微觀順週期性的進一步探討」，旨在討論金融體系中的一些順週期性因素、可能採取的補救措施以及貨幣和財政當局在嚴重市場危機下如何發揮專業作用，並介紹了中國金融業改革以及中國為應對經濟增長放緩而實施的宏觀經濟政策。

G20 峰會在即，中國央行行長周小川提出改革美元主導的國際貨幣體系的主張，展示出面對國際事務積極自信的大國風範。中國此舉絕不是為了表明立場、爭取發言權，更不是為了向任何國家示威，而是深刻地表達了這樣的用意：中國已經站在更高的視角上，思考危機爆發的深層根源，並探求如何避免類似災難的再次發生。

當有人質疑周小川到底是以官員的身分還是學者的身分發表如此三篇文章時，中國國務院副總理王岐山在英國《泰晤士報》（The Times）發表了署名文章，直接闡述了中國政府的立場，其基本觀點與周小川並不相左。

王岐山指出，對於國際社會普遍關注的國際貨幣基金組織的增資問題，中國的看法是：中國在確保資金安全和合理收益的前提下，支持國際貨幣基金組織增資，願與各方積極探討融資方式並做出力所能及的貢獻。中國主張國際貨幣基金組織按照權利與義務平衡、分攤與自願相結合的原則籌集資金。在增資規模上，要考慮不同國家發展階段、人均 GDP 水準以及外匯存底資金的性質、形成、積累過程，及本國經濟安全對其依賴程度的巨大差別。簡單以外匯存底多寡確定出資規模，既不現實也是不公正的。這一觀點，與周小川的加強與改革國際貨幣基金組織特別提款權制度的觀點遙相呼應。

各方反應

周小川的三篇文章，一鳴驚人，引起了全世界的注意，特別是已開發國家陣營對周小川的觀點反應尤為激烈。

諾貝爾經濟學獎得主、美國哥倫比亞大學教授喬瑟夫 · 史迪格里茲（Joseph E. Stiglitz）表示：「在世界上美元外匯存底最多的中國，公開批評以美元為中心的國際貨幣體系，並提議構築新的貨幣體系，這一點誰也沒有想到。」

英國路透社稱，周小川的表態表明了中國對美元主導地位的不滿，也表明了中國在此問題上的緊迫感。英國《金融時報》評論說，周小川的提議，表明北京對美國拯救國內經濟舉措的擔憂，中國擔心美國的政策會對中國產生負面影響。該報援引匯豐銀行中國首席經濟學家屈宏斌所言：「這清晰地表明，做為美國金融資產的最大持有國，中國擔心美國聯準會印鈔所帶來的潛在通膨風險。」

英國《獨立報》（*The Independent*）於 2009 年 3 月 24 日發表題為「美元地位遭到中國攻擊」的文章，內容指出，美國財長蓋特納（Timothy Geithner）之前抨擊中國操縱人民幣匯率，周小川此舉可被視為中國對美國攻擊的反擊。該報說，中國要求國際貨幣基金組織進行改革的呼籲得到了著名投資家喬治・索羅斯的支持。索羅斯說，國際貨幣基金組織應該運用新的特別提款權「保護外圍國家免遭已開發國家製造的風暴影響」。

英國《泰晤士報》說，周小川的表態，表明中國在展示自己的經濟力量，向美元發起挑戰，並「凸顯了中國在與世界主要經濟大國進行談判時的持續增強的自信」。

不過，美國有媒體則認為，國際儲備貨幣的轉換並非易事。美國《華爾街日報》（*The Wall Street Journal*）也於 2009 年 3 月 23 日指出，美元向新的國際儲備貨幣的過渡，面臨經濟和政治上的巨大障礙。首先，擁有美元主導地位的美國不會讓出這一地位及其給自身所帶來的優勢。另外，從經濟上說，做為儲備貨幣，美元仍然具有很大的吸引力。經濟學家認為，新的國際儲備貨幣的出現，要求對經濟活動交易雙方的成本進行有效的補貼，從而獲得魅力。同時，一個超主權的貨幣也很難被各國貨幣使用者接受。

美國總統歐巴馬（Barack Obama）在白宮舉行新聞發布會時稱，全球投資人將購入美元視為安全投資，而美國經濟則更為穩健。他對中國央行行長周小川提出的創立新的全球貨幣形式以取代美元的建議表示了懷疑，稱「並不認為有必要設立一種新的全球貨幣」。在 4 月初的 G20 峰會上，他希望達成的目標僅限於：全球富裕國家以及開發中國家都應傳達需要採取行動，以解決全球經濟萎縮的決心。

美國財長蓋特納與美國聯準會主席柏南奇（Ben Bernanke）在眾議院金融服務委員會的一個聽證會上，明確對讓美國棄用美元轉而啟用某種世界貨幣的提議持批評態度。前美國聯準會主席沃克爾（Paul Volcker），這位克服美國 20 世紀 70 年代通貨膨脹的功臣，雖然批評美國聯準會製造通貨膨脹風險，同時卻又表示中國聲稱自己「現在持有所有這些美元是不是有些糟糕」的說法不太妥當。他認為，中國持有美元是因為選擇了購買美元，中國不想拋出美元是因為不想讓人民幣貶值。

歐盟經濟和貨幣事務委員艾穆尼亞（Joaquin Almunia）也表示，美元地位仍將無可替代。

與歐、美對立的另一支隊伍中，一些新興市場國家、國際組織以及部分學者則對周小川的提議表示支持和贊同。巴西總統盧拉 2009 年 3 月 26 日表示，中國提出的創造一種可以替代美元的新型國際儲備貨幣的建議「有效且恰當」，他認為大部分新興市場國家都會同意這一觀點。俄羅斯則計畫在 G20 會議上提出相同建議，「我們認為這一過程中需要尊重國際貨幣基金組織的角色，我們需要考慮這種可能性，考慮採取措施讓特別提款權成為一個國際上認可的超級儲備貨幣。」

在中國之前，俄羅斯於 2009 年 3 月也已提出了類似的主張。克里姆林宮在公開發布的倫敦金融峰會「路線圖」中建議，可以考慮創造一種新的儲備貨幣，由國際金融機構來發行，以改變目前美元主導國際金融體系的格局。諾貝爾經濟學獎得主斯蒂格利茨亦認為，以特別提款權替代美元是解決問題最快的途徑，他還提出，長期來看應成立新的國際儲備貨幣機構。

引人關注的是，國際貨幣基金組織總裁史特勞斯．卡恩（Dominique Strauss-Kahn）表示，中國方面提出探討創造一種可以替代美元的新型國際儲備貨幣的建議是「合理的」。

超主權貨幣的前世今生

超主權貨幣的歷史

那麼，到底什麼是超主權貨幣？超主權貨幣又有著怎樣的歷史由來呢？在媒體紛紛炒作之前，或許大多數人根本不知道還有「超主權貨幣」這一說法。但是沒聽說過並不代表歷史上沒有出現過。

所謂超主權貨幣，是一種與主權國家脫鉤並能保持幣值長期穩定的國際儲備貨幣。從歷史上看，這樣的貨幣並不是沒有，第二次世界大戰以前，黃金就發揮著類似的作用。第一次世界大戰前，英鎊做為重要的主權貨幣進入國際貨幣儲備體系，但是黃金在國際儲備貨幣中仍然占據 80％以上的比例。第一次世界大戰後，美元做為國際儲備貨幣所占的比例已經超過英鎊（1929 年），但黃金仍然占國際儲備的重要比例，有些年分甚至達到 90％以上。雖然 1976 年的「牙買加協議」宣布黃金非貨幣化，但黃金實際上仍然發揮著重要作用，目前黃金儲備占全世界外匯存底的比重達到 10.5%。而且，已開發國家的黃金儲備在其外匯存底中仍然占很高比重，美國為 78.9%，德國為 71.5%，法國為 72.6%，義大利為 66.5%。同時，以黃金結算也是世界上公認的唯一可以代替貨幣進行往來結算的方式。

但由於黃金是一種稀缺商品，它的供給與需求不能使這個世界正常地運轉，於是才會產生紙幣，美元、歐元等才會逐漸取代黃金成為國際貨幣儲備。

「超主權貨幣」這一提法也並非中國首創。早在 20 世紀 40 年代，凱恩斯就曾提出，採用 30 種有代表性的商品做為定值基礎，建立國際貨幣單位「Bancor」。

1944 年 7 月 1 日至 22 日，第二次世界大戰同盟國 44 個國家的代表，在美國新罕布夏州的布列頓森林召開了「聯合國貨幣和金融會議」，討論戰後如何對世界貨幣和金融秩序進行監管。與會代表分成兩派，爭論的焦點放在兩位經濟學家的身上：英國的談判代表凱恩斯和美國的談判代表懷特。

英國經濟學家凱恩斯認為，如果一國貿易赤字過大，就會對全球經濟增長造成損害。他提出以較為激進的方法來管理世界各國通貨，即成立世界中央銀行和國際清算聯盟，平衡世界貿易盈餘和赤字。凱恩斯建議的國際清算聯盟，實際上就是一個超越主權的國際銀行，它發行自己的貨幣，該貨幣與世界各國的貨幣保持一個固定的匯率 凱恩斯給這個貨幣取了「Bancor」這個名字。

但是，在第一次世界大戰後就已經成為世界第一強國，在第二次世界大戰中又大發橫財，在政治、軍事、經濟、技術等方面占盡絕對優勢的美國，推出了代表美國利益的「懷特方案」，其中對國際經濟金融體系的系統構想之核心內容，就是構築美元在國際貨幣中的霸主地位。因此，做為懷特的談判對手，儘管凱恩斯更天才睿智，提出的「Bancor」構想更具遠見，但他代表的是沒落中的英國，是「退位盟主」的發言人，因此，他提出的建立超主權儲備貨幣的構想也不可能被美國接受。1969 年，國際貨幣基金組織為支持布列頓森林體系創立了一種儲備資產和記帳單位——特別提款權，但 40 年來它始終沒能有效發揮超主權儲備貨幣的作用。

特別提款權與超主權貨幣

周小川在「關於改革國際貨幣體系的思考」一文中提出了他對構建超主權儲備貨幣的設想。他認為，應該創造一種與主權國家脫鉤，並能保持幣值長期穩定的國際儲備貨幣。而特別提款權具有超主權儲備貨幣的特徵和潛力，同時特別提款權擴大發行，有利於基金組織克服在經費、發言權和代表權改革方面所面臨的困難。這被國際社會視為中國對以美元為中心的國際貨幣體系的強烈不滿，以及對中國利益訴求的表達。

該文章也引起人們對特別提款權的關注。根據國際貨幣基金組織金融計畫和運作處提供的資料說明，特別提款權是國際貨幣基金組織於 1969 年創設的一種儲備資產和記帳單位，亦稱「紙黃金」，它最初是為了支持布列頓森林體系而創設，後稱為「特別提款權」。最初每特別提款權單位被定義為 0.888671 克純金的價格，也是當時 1 美元的價值。

特別提款權就其本質而言，是由基金組織為彌補國際儲備手段不足而創制的補充性國際儲備工具，其基本作用在於充當成員國及基金之間的國際支付工具和貨幣定值單位，並未成為實際流通的國際貨幣。即使特別提款權能夠做為儲備資產，但其在國際儲備資產中只占很小比例，1971 年占 4.5%，1976 年下降到 2.8%，1982 年重新增加到 4.8%，後來基本上沒有太大變化，而外匯在全部國際儲備中的比重多年來都高達 80%左右。另外特別提款權本身也是以美元為基礎設計出來的記帳單位，美元的占比為44%，因此，它的作用發揮仍然有很大的局限性。

特別提款權在1969年創立之後經過了多輪調整。由1974年起，國際貨幣基金組織以標準籃形式，組合四種不同的幣值計算特別提款權的價值，而該四種貨幣和計算比例，則由過去5年不同經濟體系的平均出口金額決定。目前，2006～2010年的四種貨幣確定為美元、歐元、日圓和英鎊，計算比例分別為44%、34%、11%和11%。

也就是說，目前的特別提款權就是由美元、歐元、日圓、英鎊組成的一籃子貨幣。而周小川的文章提議將世界主要經濟大國貨幣納入貨幣籃子。該建議從實質上說，就是以目前全世界主要經濟大國的信用貨幣做為基礎，重新構建一個「全球貨幣」，只不過再將其命名為「特別提款權」。

但進行這樣的改革是一個全球政治行為。哪些國家的貨幣有資格進入新的特別提款權？GDP可以成為國家貨幣在特別提款權權重中的一個衡量因素嗎？誰來監督、定量、認可各國GDP的統計？所以周小川也在文中直言，「這需要各成員國政治上的積極配合」。

目前已開發國家在國際貨幣基金組織的發言權比例

為 57.9%，其中僅美國所占比例和投票權就分別高達 17.674%和 16.732%。相比之下，中國在國際貨幣基金組織中的占比和投票權分別為 3.997%和 3.807%，印度為 2.443%和 2.338%。另外，當前國際貨幣基金組織 186 個成員中，有 30 多個發展中國家未獲得相應的特別提款權占比。開發中國家多次想改變這種狀況，但這需要國際貨幣基金組織 85%的投票權同意才能解決，而美國 16%的占比實際上形成了一票否決權。

中國發出的聲音總算有了回應，應對全球金融和經濟危機的需要，及中國等開發中國家關於改革國際貨幣體系的呼聲，促成了國際貨幣基金組織新一次的特別提款權分配。2009 年 7 月下旬，根據國際貨幣基金組織日前公布的特別提款權分配草案，已開發國家由於擁有的國際貨幣基金組織占比較高，將會獲得約 1,500 億美元的特別提款權，其中美國 426 億美元，日本 150 億美元。新興經濟體及開發中國家分配 1,000 億美元，其中中國約 90 億美元，俄羅斯 66 億美元，印度 45 億美元。

此次分配是國際貨幣基金組織進行的規模最大的一次普遍分配，目的是補充國際貨幣基金組織所有 186 個成員國的外匯存底，以此向全球經濟提供流動性。1982 年之前，國際貨幣基金組織曾兩次分配特別提款權，總規模約 214 億份特別提款權，相當於如今的約 334 億美元，但此後一直未能再度成功分配。

美國國會近期已授權政府批准「國際貨幣基金組織協定第四次修正案」。如果美方批准，支持該修正案的投票權可超過 85%，修正案即可生效，國際貨幣基金組織即可在此次普遍分配 2,500 億美元特別提款權之外，一次性特別分配 214 億份的特別提款權。開發中國家隨著儲備的增加，相應的發言權也將越來越大。

除了通過借款注資外，國際貨幣基金組織還通過發行債券增加融資。2009 年 7 月 1 日國際貨幣基金組織已正式通過決議，發行 1,500 億美元以特別提款權定價的國際貨幣基金組織債券。中國、巴西和俄羅斯等已表示了極大的購買興趣，中國的購買目標將高達 500 億美元，而巴、俄兩國的認購金額各為 100 億美元。這些舉動都表明了新興經濟體為改革國際金融體系所做的努力。

歐元的示範意義

當我們再進一步思考超主權儲備貨幣、國際貨幣方案，會發現，其實周小川的文章所提出的納入世界主要經濟大國、將 GDP 做為參考因素之一的新的特別提款權，極其類似於歐元誕生之前所倚賴的歐洲貨幣單位 ECU。

歐洲貨幣單位 ECU 創立於 1978 年，它是由當時歐洲共同體 9 國貨幣組成的一個貨幣籃子。ECU 創立時，各國在其中的權重按其在歐共體內部貿易中所占權重及其在歐共體 GDP 中所占權重加權計算，以此確定各國貨幣在 ECU 內占有權數和金額，如聯邦德國 27.3%、法國 19.5%、英國 17.5%、義大利 14%等，並依當天匯率，換算各國貨幣當天對 ECU 的比價。ECU 中各成員國貨幣所占的權重，每隔 5 年調整一次。ECU 逐步具有了計價、儲備等用途，並最終在 1999 年成為取代歐元區各國主權貨幣的單一貨幣——歐元。

歐元的問世成為國際貨幣領域具有里程碑意義的事件。它首先使現代意義上的超主權貨幣成為現實，同時又使超主權貨幣的發展方向既不依賴於黃金，又不依賴於單一國家，成為世界貨幣發展的典範。

統一的貨幣體系

「歐元之父」蒙代爾認為，未來貨幣體系可能以貨幣聯盟的方式向新的固定匯率制復歸，而「金融穩定性三島」則是其基本架構，即歐洲、美洲和亞洲各自形成貨幣聯盟，然後三方再形成一個聯盟。他認為，只要三方能形成一致的通貨膨脹率和分配鑄幣稅的機制，就可以實現三方聯盟。三方貨幣聯盟是向世界貨幣過渡的方式。

在世界範圍內建立起統一的貨幣體系，實行統一的貨幣政策，並建立統一的貨幣發行銀行，是國際貨幣制度設計者的終極理想。蒙代爾認為，在形成貨幣聯盟的基礎上，可以美元、歐元、日圓、英鎊、人民幣五個主要經濟體的貨幣為基礎，構建一個世界貨幣，並將國際貨幣基金組織改造為可以發行貨幣的世界中央銀行，最終將靈活的國際貨幣體系、全球記帳的單位、全球統一的國際基準價位以及各個貨幣區域統一在整個全球貨幣體系範圍之內。

在歐元的誕生上得到證明之後，蒙代爾的「最優貨幣區」理論或許將繼續為全球統一貨幣的誕生發揮理論作用。事實上，蒙代爾近年來也一直在呼籲按照歐元誕生的思路構建全球統一貨幣。「我們現在需要一個世界貨幣。自從 2003 年以來，每年在義大利我都會舉辦會議，專門討論怎麼才能創立一個世界貨幣。我們期待著在當前這樣一個危機時刻，可以來推廣世界貨幣的政策。我曾與部分國家領導人交流過，法國總統薩科齊、英國首相布朗都對此表示支持。一個關於時間的建議，是在 2010 年上海將召開世界博覽會時，召開類似布列頓森林會議一樣的國際貨幣基金組織會議，來推行這個世界貨幣方案。」蒙代爾在接受媒體訪問時說的這段話讓人印象深刻。

超主權貨幣可不可能？

提出時機耐人尋味

2009 年 3 月，中國人民銀行行長周小川在倫敦 G20 峰會前提出的創立超主權貨幣的設想，引起了國際社會對美元的熱烈討論。但是，2009 年 7 月 5 日，中國外交部副部長何亞非在羅馬表示，目前學術界正在討論創立超主權國際儲備貨幣的設想，但這不是中國政府的立場。美元目前仍是世界上最重要的儲備貨幣，未來幾年裡也是如此。

無獨有偶，在相同的時間內，俄羅斯總統梅德韋傑夫也在接受義大利媒體採訪時對美元發表了正面評論。克里姆林宮網站上發布的採訪內容顯示，梅德韋傑夫稱，美元和歐元的儲備貨幣地位目前無可替代。

其實，周小川在 G20 峰會前提出這些觀點時，對實施超主權貨幣不太現實這一點肯定是非常清楚的，但他為何還是要提出超主權貨幣的概念呢？主要原因是，中國有意將超主權貨幣做為參與大國角力的工具。

在倫敦 G20 峰會之前，美國為了在會議上爭取更多的主動權，精心在各種平台上連續發表了很多不利於中國的言論。比如說中國等東亞國家的高儲蓄率是導致金融危機發生的主因；比如說中國為了刺激出口，人為操控匯率。那麼中國聯合其他新興經濟體利用超主權貨幣來攻擊美國的弱點，未嘗不是一種值得一試的大國角力中的戰術。

提出構建超主權貨幣設想，美國肯定會反對，因為這直接損害到美國的利益。美國利用美元是世界上超級儲備貨幣的地位，濫發貨幣，用通貨膨脹轉嫁美國在國內進行金融救援和刺激經濟的成本。讓美國接受超主權貨幣，放棄美元做為儲備貨幣的地位，這等於剝奪了它利用通貨膨脹轉嫁成本的權利。基於這個原因，中國聯合其他新興經濟體的這種出擊，自然會讓美國有所忌憚。

超主權貨幣是理想不是幻想

很多人說，超主權貨幣像一個很美的夢，但卻很難實現。從現實層面上看，由於涉及到既得利益者的權益，構建超主權貨幣阻力不小。但可以肯定的是，它絕不是一個幻想，而是一個可以實現的理想。

要達成這樣的理想，或許需要上百年的時間。從當今的現實看，政治上，擁有主導貨幣的國家——也就是美國——不肯放棄做為儲備貨幣發行國所享有的好處；經濟上，現代史上唯一一次儲備貨幣更迭是發生在英鎊和美元之間，這一過程持續了幾 10 年，其間還經歷了兩次世界大戰。儘管美元有各種缺陷，但做為國際儲備貨幣，至今它仍有相當的吸引力。

但是，未來的超主權貨幣體系改革，應當站在科技進步和經濟全球化與金融一體化的大背景下考量。設計和推動超主權貨幣應從全球金融戰略高度出發，從中國的角度來講更應循序漸進、分步推行。

第一步是利用 10 到 15 年的時間使人民幣逐漸實現國際化，形成美元、歐元、人民幣三足鼎立的局面。這一步的目標是讓人民幣逐漸成為世界的主導貨幣之一，讓人民幣在世界貨幣體系中有相當的發言權與決定權。要求改變現有不合理的國際貨幣體系是合理的，也是必要的，但在當前世界公認的儲備貨幣計畫還沒有形成之前，以美元為主導的多元化國際貨幣體系就是最現實的實施方案。因為，在國際貨幣體系中是要靠實力說話的，這種實力不僅僅是經濟的、金融的，而且是政治的、軍事的。儘管當前美國金融經濟面臨困境，但危機之後美國一旦恢復了元氣，那麼實力的對比將會證明，美元在國際貨幣體系中的中心地位和規則制定權，短期內還不可能發生實質性的變化。所以，在近些年內，國際貨幣體系還不可能完全拋開美元。因此，人民幣的崛起，是在以美元為主導的貨幣體系下的崛起，其目標是要逐漸形成歐元、美元、人民幣的世界貨幣格局。也就是說，人民幣若要改變世界貨幣體系，那麼首先必須讓自己在世界舞台上站穩腳跟。

第二步是利用 30 年左右的時間，使人民幣成為世界貨幣體系中最重要的主導貨幣。這期間區域貨幣聯盟將得到強化，「金融穩定性三島」成為國際貨幣體系的基本架構，歐洲、美洲和亞洲各自形成貨幣聯盟——歐元區、美元區和亞元區，條件成熟的情況下或可產生「非元區」。在貨幣聯盟區域內將建立統一的具有中央銀行職能的區域機構，由該機構發行統一的區域通貨和執行統一的貨幣政策，目前已成功實施的歐洲貨幣聯盟即歐元區就屬此類。國際貨幣匯率體系將由幾大區域貨幣之間的匯率形成，各國央行發行的國別貨幣屆時將會被取消。

第三步則是最終實現建立世界中央銀行、推出世界統一貨幣的理想目標。現在我們能對這個理想所作的籠統描述是，在全球建立一個超國界的、掌管全球貨幣金融調控大權的世界中央銀行，這個央行擁有一個具有代表性的治理委員會，各會員國必須遵守大家共同規定的財政紀律和標準。關於這個超主權貨幣的本位究竟是什麼，還需要我們深入研究。

9

同一個世界，同一個貨幣

次貸危機爆發後，網路上就流行起一篇題為「全球聯手發行世界貨幣」的文章，其中煞有介事地寫道：「世界、地球銀行負責人稱，此次發行世界幣主要目的是為了方便人們日益增長的物質文化需求，也能聯合世界經濟大國共同抵抗不斷惡化的經濟危機。從即日起，人們便可以從各大銀行兌換到相應的世界幣並開始使用。世界幣將逐步代替各國貨幣，做為主要的等價物使用。預計到2028年，各個國家自己的貨幣將停止流通，市面上僅使用『世界幣』做為唯一的流通貨幣。」

大部分的網友都覺得這「消息」聳人聽聞，但筆者在看完這樣的描述以後卻陷入了深思。100多年前，在沒有製造出飛機之前，人們認為在天空翱翔是飛禽的專利，人不可能占有天空資源，但是現在連太空資源都正在被人類探索利用。世界上沒有誰能夠剝奪我們夢想未來的權利，而今天的夢想或許就是明天的現實。

未來的世界貨幣到底會是什麼樣子？也許它將是一個你意想不到的東西——基於身分識別的電子錢。

傳統貨幣的時代演化

在傳統貨幣時代，貨幣做為一般等價物，必須以實物的形式存在，不論是貝殼還是紙幣，都有一個實實在在的媒介物做為交換的基礎。

隨著人類社會文明的不斷發展、經濟規模與貿易數量的日漸擴大，貨幣的形式由最初的牛羊、貝殼等逐漸進化至現在的紙幣，同時貨幣的本位制度也經歷了從商品本位制到混合本位制，直至如今的信用本位制之演變。

本位制的演變

在實物貨幣階段，貨幣以實物商品的形式表現出來，從表面上看貨幣是有價值的商品，但仔細分析就會發現，人們出賣商品換取實物貨幣，其需要的不是實物貨幣本身，而是實物貨幣交換其他商品的能力，即購買力。換句話說，人們之所以能接受實物貨幣，本質上並不是因為實物貨幣是有價值的商品，而是因為相信實物貨幣提供了一種為社會所承認的一般購買力信用。

在金幣本位制下，各國市場上流通的都是金幣，每枚金幣所標明的法定含金量與其自身黃金質量相同。所以金幣本位制無信用因素，屬於商品本位制。

在金塊本位制下，各國市場流通的都是紙幣，而由各國發幣機構儲備黃金金塊。所有紙幣所標明的法定含金量的總和，要大於發幣機構的黃金金塊儲備。發幣機構承諾，任何紙幣持有人都可向其自由兌換等量的黃金。

在金匯兌本位制下，各國市場上流通的也都是紙幣。唯有美國仍實行金塊本位制，且美國承諾其他國家的貨幣與美元可以固定不變的匯率自由兌換，這樣就間接保持了各國貨幣的含金量。金匯兌本位制有極大的信用因素存在，屬於混和本位制。各國貨幣的購買力完全依賴於美國向任何美元持有者自由兌換等量黃金的承諾。

在信用本位制下，信用貨幣與金屬貨幣同時流通，彼此等價，信用貨幣代表金屬貨幣提供著貨幣的購買力信用。但是，信用貨幣與金屬貨幣畢竟不同，金屬貨幣以其自身的價值透過等價交換來提供購買力信用，而信用貨幣是借助於金屬貨幣提供購買力信用的，所以金屬貨幣的購買力信用是直接的，信用貨幣的購買力信用是間接的。各國市場上流通的都是紙幣，且紙幣此時都不具有任何法定含金量。各國貨幣的購買力完全依賴各國發幣機構維護幣值穩定的承諾。各國貨幣間開始實行浮動匯率制，匯率高低主要由利率平價與購買力平價理論決定。

貨幣由實物貨幣向金屬貨幣和信用貨幣的演變，實際上是用貨幣購買力信用來保證由實物商品向貴金屬商品、銀行信用和國家信用的轉化，在貨幣是信用這一本質的問題上沒有變化。所以，無論未來貨幣形式如何變換，這一本質問題也不會發生改變。

如今，在美元信用受到全球質疑的時候，有人提議回歸到金本位。只是這種金本位並不是以黃金、白銀做為本位，而是以其他金屬做為本位貨幣。

石油美元本位制

金本位制最早在美國宣告終止。1933 年 4 月 5 日美國總統羅斯福下令，美國公民必須上繳他們所有的黃金（稀有金幣和首飾除外），政府以 20.67 美元兌換一盎司的價格收購，任何私藏黃金的人將被重判 10 年監禁和 25 萬美元的罰款。自此黃金開始與美元脫鉤，美元也成為了第一個被國際銀行家完全控制、理論上可以不受任何限制隨意發行的紙幣。

由於失去黃金做為支撐點，美元的國際價格一度非常不穩定。為了穩定美元價格，國際銀行家選中了任何國家都不可缺少的石油做為新的支撐點，首先透過對沙烏地阿拉伯的控制，使得沙烏地阿拉伯石油只能以美元進行交易，從而透過石油穩定住了美元的價格。20 世紀 70 年代，美國曾與沙烏地阿拉伯達成一項「不可動搖」的協議，沙烏地阿拉伯同意把美元做為石油的唯一定價貨幣，石油輸出國組織其他國家也對此表示同意。這使得任何想進行石油交易的國家，都不得不把美元做為儲備貨幣。之後美國又控制了 OPEC，使其成員國出產的石油只能透過美元進行交易。這樣美元又找到了新的支撐點，從某些角度上來說，現在的美元可以算是「石油本位」了。而購買石油的美元，又經過美國對石油出口國及 OPEC 的投資建設回籠到美國，這樣一個經由石油的「石油美元回流」就完美地形成了，而美國的紙幣發行銀行（即美國聯準會，實際由紐約中央銀行控制）也就由此牢牢地控制住了美元，並進而控制住了世界經濟。石油美元的環流在美國透過大量經常帳戶逆差的方式維持美元輸出的同時，保證了美國的資本帳戶順差，從而也就彌補了貿易和財政上的赤字。這對支撐美國經濟增長有著至關重要的作用。

布列頓森林體系崩潰以後，美元與黃金脫鉤，但美元相對其他貨幣仍然保持絕對優勢，其中最重要的原因就是國際石油交易一直是以美元定價，隨之而來的是許多其他原材料也以美元定價和交易。

國際石油市場的價格是由石油現貨市場和期貨市場

的走勢決定的，全球有西北歐、地中海、加勒比海、新加坡和美國等五個石油現貨市場，以及紐約、倫敦和最近兩年興起的東京工業品交易所等三個石油期貨市場。

目前，國際市場的原油貿易大多以各主要地區的基準油為定價參考，以基準油在交貨或提單日前後某一段時間的現貨交易或期貨交易價格，加上升貼水做為原油貿易的最終結算價格。期貨市場價格在國際石油定價中扮演了主要角色，而在國際石油期貨市場上定價和交易也大都採用美元。

繼往開來的新時代

2008 年的全球金融危機爆發後，世界貨幣體系面臨著一個人民幣時代的降臨。

人民幣的崛起是歷史的必然，這個潮流誰也擋不住。事實上，中、美兩國如今的許多經濟政策表現出驚人的同步性，而這正是兩國經濟聯繫日益緊密的表現。在這波經濟復甦過程中，中、美兩國將互為依靠，人民幣實際上和美元聯結，世界貨幣體系將逐漸走進「人民幣—美元」的時代。

現在美國人已經知道，如果離開了中國，那麼金融危機將會是個無底洞。而中國也知道，只有盡快融入到世界主導貨幣體系中去，才能在這個世界上有更大的發言權，也才有資格去探討世界貨幣體系的改革之路，為未來的世界出謀劃策。否則，再多的夢想也只是紙上談兵，沒有人會去理睬一個僅僅屬於中國的人民幣。

更值得關注的是，人民幣實現國際化的這個過程，是伴隨當今高科技的飛速發展而推進的，這是與以往其他主要貨幣國際化最為不同的一個歷史條件。後發優勢和天時地利，讓中國對人民幣的國際化前景有了無限的遐想空間。一方面，人民幣將逐漸成為世界貨幣；另一方面，電子貨幣的發展將為人民幣國際化的過程插上高科技的翅膀，讓它飛得更高更遠。

這是一個繼往開來的時代，中國這樣的開發中大國有機遇、有能力把握住時代的轉捩點。我們可以預言，未來世界貨幣體系的面貌如何，將與人民幣國際化的過程有直接的關係。

同一個貨幣的設想

實際上，對「同一個貨幣」的期待並不是個別網友天馬行空的胡思亂想，經濟學家們對此已早有研究。

1961年，「歐元之父」蒙代爾在《美國經濟評論》（The American Economic Review）上發表文章，提出了著名的「最優貨幣區」理論。所謂「最優貨幣區」指的是地理相近的兩個以上的主權國家組成一個對內實行貨幣聯盟、匯率固定，對外實行浮動匯率的經濟區域。蒙代爾進一步解釋說，生產要素尤其是勞動力高度流動的幾個國家或地區，可以組成使用單一貨幣的最優貨幣區。

在這一理論的基礎上，經過進一步的研究，20世紀90年代初，艾默生和格羅斯提出了「同一個市場，同一種貨幣」的論點。他們認為，隨著全球化的過程，市場驅動的貨幣競爭已經改變了貨幣關係的空間組成，國家的貨幣壟斷權遭到質疑。一個貨幣區的貨幣選擇本質上應該由市場來決定，貨幣區的範圍由實際的貨幣交易網路來劃分。此時，貨幣做為一種交換工具和價值工具，才開始真正服務於市場，而無論這個市場有多大，涉及多少個主權國家，只要是一個統一的市場，包括要素流動不受限制等條件，那麼單一貨幣就是最佳選擇。

如果全球經濟一體化按現在的速度發展下去，整個世界形成一個統一的市場並非是一件不可能的事，而照此推斷，世界的單一貨幣化也完全能夠實現，「同一個世界，同一個貨幣」並不只是不切實際的幻想。

當周小川在 2009 年 G20 峰會前提出「超主權貨幣」的建議時，很多人抨擊說現在提出這個設想為時過早，沒有任何現實意義，或者認為這只是烏托邦，實現的時間遙遙無期。然而，筆者卻不這麼認為，理論是來源於現實但又高於現實的，因此它能指導現實、指明未來發展的方向，這就是理論的作用。人們剛有一種新的想法就被現實打壓或者否定，那麼理論還如何發展？當所有人都在關注腳下的路時，有人偶爾抬起頭來看看遠方的路該怎麼走，即使他們有不同的意見與看法，但只要存在合理性，那些只關注腳下之路的人就應該認真傾聽，將這意見當作一種選擇。

依筆者的推測，30 年後人民幣國際化將充分實現，全球主導貨幣為歐元、美元和人民幣。伴隨科技的進步和全球經濟、金融一體化的過程，屆時三大主導貨幣的統一將被提上議事日程，全世界呼喚「同一個貨幣」的時代將到來。因此，從現在開始關注與討論統一的世界貨幣並不會「為時過早」。

同一個貨幣體系下的世界經濟是一個巨大的市場，並且物質產品極其豐富。國家與國家之間有千絲萬縷的聯繫，沒有哪個國家能夠單獨存在。人們結帳、購物都用這種統一貨幣，而統一貨幣發行量的大小則由世界銀行來負責統籌。到了那個時候，很少見到紙質的貨幣，人們無論走到世界的哪個地方都可以自由使用電子貨幣來支付。金融業的研究者們不再每天研究貨幣匯率的變化，而是在研究「世界的人民幣」如何在全球範圍內清算、調配與調度。

但是這個美好的願景必須是在世界總體和平與穩定發展的條件下才能夠實現。如果再次發生類似於上世紀兩次世界大戰那樣的戰爭，人類的經濟發展成果將會毀於一旦，更毋庸說形成統一的世界貨幣。此外，世界各國的政治制度、法律制度、監督制度還要日趨透明和完善，這也是實現夢想的必要條件。

未來的國際貨幣

20 世紀以前，金屬貨幣盛行於世，人們很難想像100 年後的今天，金屬貨幣會逐漸淡出歷史舞台，讓位於信用貨幣。隨著時代的變遷、科技的進步，或許貨幣的形式還會發生根本性的變化，甚至走向消亡。

未來是碳本位制的天下？

2006 年，時任英國環境大臣的大衛・米利班德

（David Miliband）就提出了一個個人碳交易計畫：「想像在一個碳成為貨幣的國家，我們的銀行卡裡既存有英鎊還存有碳點。當我們買電、天然氣和燃料時，我們既可以使用碳點，也可以使用英鎊。」他設想，政府為個人分配一定的碳點，在用氣和用電時使用。當個人的碳點用完後，可向那些擁有節餘碳點的人購買。但這個曾令很多人激動的計畫由於其操作、管理的複雜性等原因，在布朗繼任英國首相而米利班德出任外交大臣後被束之高閣。

1997 年 12 月，「聯合國氣候變化框架公約」第三次締約方大會在日本京都召開，一百四十九個國家和地區的代表，通過了旨在限制發達國家溫室氣體排放量、抑制全球變暖的「京都議定書」。「京都議定書」於 2005 年生效，以國際法形式規定了發達國家未來發展過程中的二氧化碳等溫室氣體排放權，由此，也形成了碳的商品化交易。

所謂「碳的商品化」，是指限制溫室氣體排放，把包括二氧化碳在內的溫室氣體的排放權做為可交易單位轉讓或者出售，因此交易排放溫室氣體的權利就形成了碳交易最明顯的商品屬性。二氧化碳排放權的確立，促使締約國根據規定推進清潔發展機制、聯合履行機制和國際排放貿易機制三個機制建設，以達到「聯合國氣候變化框架公約」規定的全球溫室氣體減排目標。進入2006年以後，日本和歐盟部分發達國家難以滿足「京都議定書」設定的目標，因此，它們根據「京都議定書」第十二條規定，向不承擔減排義務的開發中國家購買「可核證的排放削減量」（CER）。

已開發國家對二氧化碳定價，從開發中國家購買二氧化碳排放配額，由此而形成的二氧化碳等溫室氣體排放權交易制度，被歐盟和日本稱為「碳本位制」。

碳本位制的形成催生了國際碳市場。

2005年年底，歐盟排放交易體系下的二氧化碳排放權期貨在歐洲氣候交易所上市。芝加哥氣候交易所亦進行二氧化碳期貨交易。目前，法國 Powernext Carbon 是主要的歐盟二氧化碳排放配額現貨交易市場。碳交易以國際公法為依據，簽訂購買合同或碳減排購買協議（ERPAs），合約的一方透過支付價款給另一方而獲得溫室氣體減排額，然後將購得的減排額用於減緩溫室效應，實現其減排目標。在六種被要求減排的溫室氣體中，二氧化碳為最大宗，所以這種交易以每噸二氧化碳當量為計算單位，通稱「碳交易」。

「京都議定書」下的基本碳交易單位包括：國際

排放貿易機制的指定數量單位（AAUs）、清潔發展機制的核證減排額（CERs）、聯合履行機制的減排單位（ERUs）。此外，在區域性的、國家級的和次國家級的交易體系中，還有歐盟排放許可（EUAs）、新南威爾斯溫室氣體減排體系（GGAS）的減量證書（Abatement certificates）等。碳交易種類日趨多樣化，一旦新的國家級和次國家級的碳交易市場建立，新的交易單位就出現了，我們將其統稱為「碳信用」。

「京都議定書》正式生效後，全球碳交易市場出現了爆炸式的增長。2007 年碳交易量從 2006 年的 16 億噸躍升到 27 億噸，上升 68.75％。成交額的增長更為迅速。2007 年全球碳交易市場價值達 400 億歐元，比 2006 年的 220 億歐元上升了 81.8％，2008 年僅是上半年全球碳交易市場總值就與 2007 年全年持平。在美國次貸危機引發全球性經濟衰退和金融危機的情況下，全球碳交易市場依然保持強勁增勢。據碳點公司預測，2008 年全年的二氧化碳交易量將達到 42 億噸，比 2007 年增長 56％，以碳交易價每噸 15 歐元計算的話，交易額相當於 630 億歐元。

經過幾年的發展，碳交易市場已漸趨成熟，參與國地理範圍不斷擴展，市場結構向多層次深化發展，財務複雜度也日益增加。

日本和歐盟是碳本位制和國際碳市場建設的積極推動者，它們的目的在於以碳本位制挑戰美元體制，因為歐盟國家的碳市場是以歐元結算、日本的碳市場是以日圓標價的，這無疑是在排擠美元的地位，潛在地削弱美國的霸主勢力。碳本位制的發展動向已引起美國政府的關注和重視，成為美國與日本、歐盟角力的新焦點。

在今天，氣候問題遠不是個簡單的環境問題，藉由應對氣候問題，很可能會催生一種新的全球貨幣發行體系，所以許多國家似乎都看好這個體系的前景。以美國來說，有人分析，「美元可能藉機會完成從石油本位轉向碳本位」。石油是以美元做為計價單位的商品，石油價格的變化也關乎美元的地位。如果沒有這一波原油價格的暴漲暴跌，美國可能還很難接受發展新能源的思路。維持石油本位的代價太高，在這個時候繼續堅持石油本位已經不合時宜。因此，「美國可能會將重點轉移至領導世界的節能減排，讓美元繼續成為新交易的國際貨幣」。

而對於中國來說，一旦人民幣國際化後，就要考慮如何來對沖匯率波動的風險。就像近來美元貶值後，以美元計價的國際原油價格一路上揚，受到市場追捧，使得美元在金融危機之後依然保持著全球儲備貨幣的地位，人民幣也必須研究國際化後應對此種風險的良策。

復旦大學經濟學院副院長孫立堅認為，開發中國家即將面臨的二氧化碳排放權交易是中國今後發展人民幣本位的一個新領域。他表示，碳排放只是舉一個例子，只要能找到人民幣貨幣本位的載體，這樣的衍生性金融商品就值得去經營。監管者應該在市場中不斷提高監管經驗，而不要因為西方已經相當成熟和複雜的衍生性金融商品市場出過一些問題，就放棄這方面的嘗試。

但從目前來看，實行碳貨幣對中國來說是弊大於利。

在 2009 年 G20 峰會召開之前，美國能源部長朱棣文（Steven Chu）在眾議院科學小組會議上指出，如果其他國家沒有實施溫室氣體強制減排措施，那麼美國將徵收碳關稅，這將有助於公平競爭。

所謂「碳關稅」，是指對高耗能的產品進口徵收特別的二氧化碳排放關稅。這個概念最早由法國前總統席哈克提出，用意是希望歐盟國家應針對未遵守「京都議定書」的國家課徵商品進口稅，否則在歐盟碳排放交易機制運行後，歐盟國家的企業，特別是鋼鐵業及高耗能產業將遭受不公平之競爭。

如果歐、美、日等國家聯合對中國徵收碳關稅，中國製造產品的低成本將毫無優勢，這些國家將以碳關稅的形式，堂而皇之地直接將中國的財富納入自己的國庫。舉一個簡單的例子，按照碳排放的算法，電價要漲一倍，太陽能電池板所需的矽原料的耗電成本就大幅上升，中國新能源企業生產的電池組件與美國產的相比較就沒有任何優勢了。可以想像，一旦美國徵收碳關稅，將引發一場災難，引發一場貿易大戰，也違反了世界貿易組織的相關規定。

因此，中國應謹慎對待西方國家關於碳貨幣的言論，不應人云亦云。

未來的貨幣形式

勤勞智慧的祖先們在尋找形形色色的一般等價物時，為人類創造了這樣一種根深柢固的觀念：不論你需要什麼，必須要用貨幣購買，不管這種貨幣是貝殼、是黃金還是一張紙片。數千年來，貨幣形態經歷了紛繁複雜而又豐富有趣的演變，即使當代紙質貨幣已如此發達，世界上對於新貨幣形態的追求仍然未有止境。

例如，據美國廣播公司（ABC）報導，生活在紐約綺色佳（Ithaca）社區的居民們平時出門消費可以使用該社區自己的貨幣——「小時」。他們用「小時」買日用品，用「小時」在餐館結帳，用「小時」買電影票。在美國，有許多社區為了強調自己的獨立，採用了自己社區的貨幣，並鼓勵居民們使用，綺色佳社區就是其中的一個。來到綺色佳，人們可以到社區的任何小店用美元兌換「小時」。「小時」是按照這個地區每小時的平均收入來計算的，一個綺色佳「小時」的價值等於 10 美元。例如，一名建築工人每天得到的報酬可能是 7 個「小時」，一名理髮師的報酬是 1 個「小時」。「小時」一共有五種票面金額，從 0.125 小時到 2 小時不等。社區裡共有 8,500「小時」在流通，相當於 85,000 美元。自從綺色佳在 1991 年流通這種特殊貨幣「小時」後，它已促進了當地的商業發展，結果是減少了對進口商品的依賴，當地的最低工資水準也有所提高。綺色佳社區管理貨幣的官員指出，本地貨幣是「保持資源在當地流通的最好辦法」。他同時指出，將貨幣單位命名為「小時」是促使人們思考金錢價值的一個好方法。不過「小時」目前的使用範圍只局限在綺色佳社區，不能在全美流通。

又如，在日本，為了完善社會保障體制，幫助一些孤寡老人度過晚年，一些養老院在一定程度上採取了時間貨幣這一手段。這些養老院付給那些照顧老年人的青壯年義工時間貨幣，當這些青壯年步入老年時，便可憑藉此時間貨幣獲得同等時間的照顧。

當代社會，在物質生活極大豐富的同時，也造成了許多為追求金錢而違法犯罪的行為，因此，金錢常常被我們蓋上「齷齪」的烙印。而在綺色佳和日本出現的這種以時間換資源的方式，給了人們另一種看待一般等價物的角度，形成一種不純粹以利益驅使的人際關係理念，金錢的負面形象被逐漸淡化。

與這些在極小範圍內流通的、帶有實驗性質的貨幣形式相比，已經大規模走進人們生活的電子貨幣更應值得我們關注和研究，因為電子貨幣或許就是未來的貨幣形式之一。電子貨幣做為當代最新的貨幣形式，從 20 世紀 70 年代產生以來，應用越來越廣泛。電子貨幣是一種基於網路電子信用發展起來的信用貨幣，在透過網路銀行進行的金融電子訊息交換中，電子貨幣與紙幣等其他貨幣形式相比，具有保存成本低、流通費用低、標準化成本低、使用成本低等優勢，它尤其適宜於小金額的網路採購。電子貨幣技術解決了無形貨幣的存儲、流通、使用等方面的技術問題，具有很大的發展潛力。美國的 Mark Twain 銀行是美國第一家提供電子貨幣業務的銀行，早在1996年4月就獲得了1萬個電子貨幣客戶。

不用太遠，100 年前的人們就無法想像到如今的我們可以足不出戶，點一下滑鼠便能享受網路付款並且送貨上門的方便快捷。同樣，我們也沒有辦法想像一百年後的購貨方式，或許連點滑鼠都不用，直接用大腦就能付款。現代人的時間觀念越來越強，科技的發展也是日新月異，繁忙的都市生活將人們的時間擠壓到按分、秒計算，那麼尋找更加快捷的貨幣服務形式，就必然是未來世界貨幣的發展趨勢。

我們能預測的是，100 年內，電子貨幣將取代紙質貨幣成為貨幣的新形式，貨幣形態將實現從商品貨幣、黃金貨幣、紙質貨幣到電子貨幣的跨越，而這裡所說的電子貨幣將是全球統一使用的、超主權的貨幣。

巴塞爾銀行監管委員會（1974 年由 10 國集團中央銀行行長倡議建立的一個以中央銀行和銀行監管當局為成員的委員會，主要任務是討論有關銀行監管的問題）恰如其分地將電子貨幣定義為：在零售支付機制中，透過在銷售終端不同的電子設備之間以及在公開網路上執行支付的「儲值」和預付機制。這個定義強調了電子貨幣的直接支付功能，但它並不是商品購買者與金融機構之間電子資金的直接劃撥，而是一種在商品購買者與商家直接接觸時就可以透過電子技術直接、實時完成清算的電子支付方式。

大家也許會很關心我們應該如何從紙幣時代過渡到真正的電子貨幣時代。美、日、英等發達國家早已開始了這方面的試驗，其中美國的 Digicash 電子貨幣已達到了用於交易的目的。消費者首先要將實際貨幣信用卡或支票轉換成 Digicash 公司的數位貨幣並存入 Digicash 銀行。商家也需要與 Digicash 建立合作關係，在 Digicash 銀行內開設自己的帳戶。當消費者在網上購物時，就可以使用 Digicash 提供的密碼，透過電子郵件方式從 Digicash 銀行取錢。經銀行核實取款人身分後，在數位貨幣上加上銀行的電子簽名，然後傳給消費者。消費者把從銀行拿到的數位貨幣付給商家，商家再從 Digicash 銀行將這些數位貨幣兌換成實際貨幣。可以看到，Digicash 實際上創造了一種虛擬的流通現金形式，人們在網路上使用 Digicash 電子貨幣就像在現實交易中使用鈔票一樣方便，因此 Digicash 電子貨幣系統具有很大的吸引力，目前已擁有 500 萬個客戶和 25 個網路廠商，大英百科全書出版社、美國麻省理工學院都應用了這種付款方式。

如今，中國在網路消費方面也有了很大的進步，淘寶網、阿里巴巴網、卓越網、當當網等，都是推廣使用電子貨幣的著名購物網站。

雖然現在有信用卡、IC 卡、電子現金、數位現金、電子錢包和電子支票等多種電子貨幣形式，但真正的電子貨幣時代還並未到來，因為真正的電子貨幣時代是將電子化交易的最末段也電子化、數位化。那時候，人們將不再使用紙幣、硬幣進行支付，而是直接用電子貨幣進行支付。所以真正的電子貨幣時代是電子貨幣做為一種獨立通貨的時代，到時候電子貨幣的存在不僅會改變我們傳統的花錢方式，更重要的是讓你必須重新審視自己的「經濟存在」。

我有一個貨幣夢想：在未來的某一天，無論你是哪個國家的人，無論你要到哪裡去，你只需帶一張證明你身分的證件，就能在世界上的任何一個地方購物、旅遊、消費。全球都在使用同樣的電子貨幣，那是看不見摸不著的「真金白銀」。再也不需要匯兌，再也沒有出入境現金的限額，再也沒有紛繁複雜的手續、程序，世界變得如此簡單、快捷、高效率，「地球村」裡的人們和諧、友好……，讓我們共同期待夢想實現的那一天。

後記

人民幣，是中國人時刻不能離開的錢。人民幣國際化，是中國人既陌生又期待的命題。

在人民幣國際化的過程中，中國的企業及個人將迎來怎樣的變化，受到怎樣的影響？中國應做哪些準備，學習哪些經驗？帶著這些疑問，我進行了研究，並編寫出此書。

這是一本母親心願催生的書，也是寫給我自己的書。因為我始終有一個夢想，那就是「中國的人民幣」會成為「世界的人民幣」。

在本書的撰寫過程中，我得到了老父親孫憲章先生的指導，他老人家曾經使用過「袁大頭」、民國錢、偽滿幣、解放區代幣券、盧布、日圓、美元和第一至第五套人民幣。無數次我們一起回顧中國貨幣的發展歷史，共同展望人民幣美好的未來。

由於學識有限，特別是國際金融工作的經驗、歷練較少，加上人民幣國際化過程演變的節奏較快，書中的觀點和認識難免有不妥之處，敬請廣大讀者批評指正。為了反映貨幣國際化全貌，本書參考了大量相關文獻，也引述了部分國內外專家的觀點，如涉版權請與我聯繫，並在此表示感謝。

本書的寫作，得到了在校研究生鄭美玲和孫傑在資料整理上的大力幫助，兆黎博士提供了寶貴的意見，在此對他們一併深表謝意；也要感謝艷麗和安康給予的理解與支持；更要感謝的是中國財政經濟出版社王彥浩主任、責任編輯陳吟老師以及媒體公關與戰略發展部潘飛經理的大力支持。

最後，還要對廣大讀者朋友長期以來給予我的關注表示衷心的感謝！

參考文獻

1.Dominick Salvatore：《歐元、美元和國際貨幣體系》，復旦大學出版社，2007 年版

2. 張振江：《從英鎊到美元：國際經濟霸權的轉移》，人民出版社，2006 年版

3. 劉力臻等：《人民幣國際化探索》，人民出版社，2006 年版

4. 陳亞溫：《歐元經驗與效應》，經濟科學出版社，2006 年版

5. 魯世巍：《美元霸權與國際貨幣格局》，中國經濟出版社，2006 年版

6. 亞洲開發銀行：《東亞貨幣與金融一體化》，經濟科學出版社，2005 年版

7. 吳文旭：《論歐洲貨幣聯盟及歐元》，西南財經大學出版社，2003 年版

8. 菊地悠二:《日圓國際化》,中國人民大學出版社，2002 年版

9. 約翰 ・F・ 喬恩：《貨幣史》，商務印書館，2002 年版

10. 顧麗姝、王凱慶：「人民幣國際化的可行性及長期性」,《經濟問題探索》，2009 年 03 期

11. 喻微鋒：「人民幣匯率的歷史回顧、影響因素及走勢分析」,《湖南財經高等專科學校學報》，2008 年 03 期

12. 周繼興：「人民幣自由兌換條件的研究」,《中山大學學報論叢》，2005 年 03 期

13. 徐慧玲：「人民幣自由兌換的必要性及條件分析」,《經濟師》，2005 年 11 期

14. 張洪梅、劉學梅、楊勇：「歐元國際化經驗對人民幣國際化的啟示與借鑑」，《工業技術經濟》，2008 年 12 期

15. 梅堅：「貨幣競爭產生及其影響研究」，《經濟師》，2004 年 11 期

16. 陳雨露:「東亞貨幣合作中的貨幣競爭問題」《國際金融研究》，2003 年 11 期

17. 劉駿民、宛敏華：「中國外匯存底的最佳用途是支撐人民幣國際化」，《開放導報》，2009 年 02 期

18. 何國華:「中國金融市場國際化程度的度量」《統計與決策》，2008 年 07 期

19. 楊秦、趙勇:「亞洲貨幣一體化」，《時代金融》，2008 年 09 期

20. 魯政委：「人民幣國際化：歷史潮流與政策選擇」，《中國金融》，2009 年 10 期

21. 李爽：「人民幣國際化的路線選擇」，《消費導刊》，2008 年 09 期

22. 韓穎：「人民幣實現自由兌換的條件分析」，《當代經濟》，2008 年 12 期

23. 耿峰、吳俊：「從德國貨幣一體化協調政策看人民幣主導亞洲貨幣合作」，《當代經濟》(下半月)，2007 年 01 期

24. 黃澤民：「分步推進人民幣國際化」，《國際融資》，2009 年 05 期

25. 丁一凡：「必須謹慎對待人民幣自由兌換的問題」，《國際經濟評論》，2003 年 05 期

26. 高聖智：「汲取『日圓國際化』經驗教訓穩步推進人民幣國際化」，《西部金融》，2007 年 12 期

27. 童年成：「論人民幣國際化貨幣戰略」，《消費導刊》，2009 年 08 期

28. 喬桂明：「貨幣替代中國資本帳戶開放過程中的考驗與政策選擇」，《國際金融研究》，2003 年 11 期

29. 邱兆祥、粟勤：「貨幣競爭、貨幣替代與人民幣區域化」，《金融理論與實踐》，2008 年 02 期

30. 周念利、沈銘輝：「從貨幣互換角度看待人民幣國際化的新進展」，《國際融資》，2009 年 03 期

31. 馬榮華：「促進人民幣境外流通規模策略探討」，《長春金融高等專科學校學報》，2009 年 01 期

32. 賈健、葛正燦：「關於我國簽訂貨幣互換協議的思考」，《西南金融》，2009 年 04 期

33. 馬觔韜、周永坤：「貨幣互換：參與國際金融救援及推動人民幣國際化的有效工具」，《中國金融》，2009 年 04 期

34. 任艷霞：「金融危機下中國簽訂貨幣互換協議引起的思考」，《消費導刊》，2009 年 08 期

35. 尹亞紅：「香港人民幣現金流通規模的估計:1998-2006」，《經濟評論》，2009 年 02 期

36. 路雲天：「金融危機下人民幣國際化」，《決策與信息》，2009 年 05 期

37. 馬榮華、饒曉輝:「人民幣的境外需求估計」，《國際金融研究》，2007 年 02 期

38. 陳瑋：「論金融危機之後國際貨幣體系改革之路」，《經濟師》，2009 年 05 期

39. 張雲、劉駿民：「國際貨幣體系演變規律和重建原則」，《上海金融》，2009 年 01 期

40. 李揚：「國際貨幣體系改革及中國的機遇」，《中國金融》，2008 年 13 期

41. 李涵、紀晴：「關於超主權貨幣構想的一些思考」，《商業文化（學術版）》，2009 年 05 期

42. 任亮：「超主權貨幣實施的四大技術難點」，《第一財經日報》，2009 年 4 月 1 日

43. 馬松、王東：「貨幣的未來何去何從」，《商業文化 (學術版)》，2008 年 01 期